W9-CCJ-668

Gertrude: 1. marry to King
2. conversation between Hamlet
weakness
lack of confidence 3. Talk to Ophelia

flower other

目　　錄

第 四 幕

第 五 幕

提　　要

戲劇類型：悲劇
初次演出：一六〇二年
初　　版：一六〇三年

哈姆萊特簡介

在許多方面，「哈姆萊特」是歷來最引人著迷的劇本之一。哈姆萊特王子的性格和行動，撲朔迷離。他爲什麼遲遲不復仇？劇中接連幾次出現的鬼魂是眞是幻？這兩個問題一直困擾了過去一百五十年來的批評家。每個批評家都想解答哈姆萊特之謎；每個演員都想給予這角色本身的詮釋。甚至心理分析學家，如佛洛依德等人，也把哈姆萊特帶進實驗室，檢查他的「病態」。

劇情提要

已故丹麥國王（哈姆萊特的父親）的鬼魂，接連三晚出現在艾爾西諾古堡。到了第四晚，哈姆萊特的好友霍拉旭就帶哈姆萊特去看他父親的亡魂，那時他已死去兩個月了。自從父親死後，哈姆萊特一直憂鬱不樂。他父親死得太離奇，令他滿腹狐疑。而他母親在丈夫屍骨未寒之時，就匆匆改嫁現任丹麥國王克勞狄斯

（哈姆萊特的叔父），也令哈姆萊特覺得不合禮節。

那一晚，哈姆萊特見到他父親的鬼魂。從鬼魂口中，哈姆萊特獲悉他父親原來並非被毒蛇咬傷而死，而是被他自己的兄弟克勞狄斯謀殺。鬼魂也告訴哈姆萊特說，克勞狄斯不只犯了謀殺罪，也犯了亂倫與通姦罪。但鬼魂要哈姆萊特放過他母親喬特魯德（現任丹麥王后），好讓上天來懲罰她。

聽了這一席話，哈姆萊特本來應該馬上為亡父報仇，殺死克勞狄斯。但這位內向而深思遠慮的王子，卻不肯定鬼魂就是他父親的亡魂，因為他擔心鬼魂是個惡魔，由地獄派來折磨他的。哈姆萊特內心充滿矛盾，不曉得該不該聽鬼魂的指示，為父報仇。因此，他要霍拉旭等友人保密，不吐露鬼魂出現之事，同時告訴他們說，從今起如果他行徑怪異的話，不要以為他神經錯亂了。

另一方面，克勞狄斯正面臨著跟挪威開戰的危機，同時，自從他匆匆娶了喬特魯德之後，良心便開始不安。此外，他不喜歡看到哈姆萊特王子憂鬱不樂的樣子。他知道，王子恨他匆忙娶了他母親。克勞狄斯擔心哈姆萊特篡位。王子怪異的行為和狂言，令國王以為他或許神經錯亂，但他無法肯定。為了探清哈姆萊特的虛實，克勞狄斯下令哈姆萊特的兩位朋友——羅森格蘭茲和吉爾登斯吞——去監視王子。但哈姆萊特看穿他們的把戲，更加裝瘋作傻。

饒舌的御前大臣波洛涅斯，認為哈姆萊特之所以行動怪異，是因為他對奧菲利婭（波洛涅斯之女）相思成疾。另一方面，哈姆萊特變得越來越憂鬱。羅森格蘭茲和吉爾登斯吞以及波洛涅斯，不斷的監視著他。甚至他以為奧菲利婭都在跟他作對。他一想到父王被人蓄意殺害，便感到噁心，同時由於他不能肯定那鬼魂出現是惡意還是善意，他也時常陷於苦惱中。當一批巡迴演出的伶人來到艾爾西諾時，哈姆萊特發現他有機會來確定克勞狄斯是否有罪了。他打算請這批伶人，在國王及整個宮廷之前，演出一齣類似鬼魂告訴他父王被謀殺場面的戲。在演出的時候，他打算監視著克勞狄斯的一舉一動，希望藉此發現克勞狄斯犯罪的跡象。

他的計畫果然成功。克勞狄斯在伶人演出時，變得神經兮兮、坐立不安，而且不到終場就離席。他的這些行徑使哈姆萊特終於相信鬼魂所說確有其事。至此，哈姆萊特再也沒有理由延遲復仇行動。儘管如此，他在演出結束後第一次有機會殺死克勞狄斯時，卻放過了復仇機會。當時，他正好碰上國王在跪地祈禱，他大可在他背後刺他一刀了事。但哈姆萊特卻不下手，因為他認為一個在祈禱時被殺的人，死後會上天堂，而他要克勞狄斯下地獄。

王后召哈姆萊特到她房中，責怪他請伶人演出那場戲，對克勞狄斯不禮貌。哈姆萊特在盛怒之下，大罵母后，罵她不守婦道，以致母后怕得大喊救命。窗簾後面突然起了聲響，哈姆萊特以為克勞狄斯在偷聽他跟母后的談話，於是拔劍刺向窗簾，但殺死的卻是波洛涅斯，國王害怕性命不保，匆促下令哈姆萊特前往英國，要羅森格蘭茲和吉爾登斯呑隨行，並要他們帶一封詔書給英國國王，令英王接到詔書後殺死哈姆萊特。半途中，哈姆萊特發現這封詔書，修改內容，要英王在接到詔書後殺死那兩位使臣。哈姆萊特自己半夜逃回丹麥。

在哈姆萊特離國期間，丹麥國內發生了許多不愉快的事。奧菲利婭得不到哈姆萊特的愛，精神失常，投河自殺。波洛涅斯脾氣暴躁的兒子雷歐提斯，原本在巴黎求學，聽到父親的死訊，就帶兵回來欲報父仇。他以為是克勞狄斯殺死他父親，但國王告訴他，哈姆萊特才是兇手。克勞狄斯甚至說服了雷歐提斯，要他參與一項殺害哈姆萊特的陰謀。

克勞狄斯安排哈姆萊特跟雷歐提斯比劍。為了不使人懷疑他動過手腳，國王賭哈姆萊特贏。但同時，他卻在雷歐提斯的劍尖上塗了毒藥，並且放了一杯毒液在哈姆萊特隨手可及之處，好使他在比劍中途口渴時喝下去。不幸的是，母后不曉得國王的詭計，誤飲毒液而死。比劍中途，哈姆萊特被雷歐提斯的毒劍刺傷，性命難保。雷歐提斯也中劍重傷。在他死前，他懊悔莫及，告訴哈姆萊特毒劍是克勞狄斯設計的。這時，哈姆萊特不再遲疑，抓住機會，一劍刺死克勞狄斯。他自己終於也重傷死去。但鬼魂之仇總算報了。

劇中人物

克勞狄斯	丹麥國王
哈姆萊特	前王之子，今王之侄
福丁布拉斯	挪威王子
霍拉旭	哈姆萊特之友
波洛涅斯	御前大臣
雷歐提斯	波洛涅斯之子
伏提曼德	朝臣
考尼律斯	
羅森格蘭茲	
吉爾登斯吞	
奥斯里克	
侍臣	
教士	
馬西勒斯	軍官
勃那多	
弗蘭西斯科	兵士
雷奈爾多	波洛涅斯之僕
隊長	
英國使者	
眾伶人	
二小丑	掘墳墓者
喬特魯德	丹麥王后，哈姆萊特之母
奥菲利婭	波洛涅斯之女

貴族、貴婦、軍官、兵士、教士、水手、使者及侍從等
哈姆萊特父親的鬼魂

地　　點

艾爾西諾

第一幕

第一場　艾爾西諾。城堡前的露臺

弗蘭西斯科立台上守望。勃那多自對面上。

勃那多　那邊是誰？

弗蘭西斯科　不，你先回答我；站住，告訴我你是什麼人。

勃那多　國王萬歲！

弗蘭西斯科　勃那多嗎？

勃那多　正是。

弗蘭西斯科　你來得很準時。

勃那多　現在已經打過十二點鐘；你去睡吧，弗蘭西斯科。

弗蘭西斯科　謝謝你來替我；天冷得厲害，我心裡也老大不舒服。

勃那多　你守在這兒，一切都很安靜嗎？

弗蘭西斯科　一隻小老鼠也不見走動。

勃那多　好，晚安！要是你碰見霍拉旭和馬西勒斯，我的守夜的伙伴們，就叫他們趕緊來。

弗蘭西斯科　我想聽見了他們的聲音。喂，站住！你是誰？

霍拉旭及馬西勒斯上。

霍拉旭　都是自己人。

馬西勒斯　丹麥王的臣民。

弗蘭西斯科　祝你們晚安！

馬西勒斯　啊！再會，正直的軍人！誰替了你？

弗蘭西斯科　勃那多接我的班。祝你們晚安！（下。）

馬西勒斯　喂！勃那多！

勃那多　喂，—— 啊！霍拉旭也來了嗎？

霍拉旭　有這麼一個他。

勃那多　歡迎，霍拉旭！歡迎，好馬西勒斯！

馬西勒斯　什麼！這東西今晚又出現過了嗎？

勃那多　我還沒有瞧見什麼。

馬西勒斯　霍拉旭說那不過是我們的幻想。我告訴他我們已經兩次看見過這一個可怕的怪象，他總是不肯相信；所以我請他今晚也來陪我們守一夜，要是這鬼魂再出來，就可以證明我們並沒有看錯，還可以叫他和它說幾句話。

霍拉旭　嘿，嘿，它不會出現的。

勃那多　先請坐下；雖然你一定不肯相信我們的故事，我們還是要把我們這兩夜來所看見的情形再向你絮叨一遍。

霍拉旭　好，我們坐下來，聽聽勃那多怎麼說。

勃那多　昨天晚上，北極星西面的那顆星已經移到了它現在吐射光輝的地方，時鐘剛敲了一點，馬西勒斯跟我兩個人——

馬西勒斯　住聲！不要說下去；瞧，它又來了！

鬼魂上。

勃那多　正像已故的國王的模樣。

馬西勒斯　你是有學問的人，去和它說話，霍拉旭。

勃那多　它的樣子不像已故的國王嗎？看，霍拉旭。

霍拉旭　像得很；它使我心裡充滿了恐怖和驚奇。

勃那多　它希望我們對它說話。

馬西勒斯　你去問它，霍拉旭。

霍拉旭　你是什麼鬼怪，膽敢僭竊丹麥先王出征時的神武的雄姿，在這樣深夜的時分出現？憑著上天的名義，我命令你說話！

馬西勒斯　它生氣了。

勃那多　瞧，它昂然不顧地走開了！

霍拉旭　不要走！說呀，說呀！我命令你，快說！（鬼魂下。）

馬西勒斯　它走了，不願回答我們。

勃那多　怎麼，霍拉旭！你在發抖，你的臉色這樣慘白。這不是幻想吧？你有什麼高見？

霍拉旭　憑上帝起誓，倘不是我自己的眼睛向我證明，我再也不會相信這樣的怪事。

馬西勒斯　它不像我們的國王嗎？

霍拉旭　正和你像你自己一樣。它身上的那副戰鎧，就是它討伐野心的挪威王的時候所穿的，它臉上的那副怒容，活像它有一次在談判決裂以後把那些乘雪車的波蘭人擊潰在冰上的時候的神氣。怪事怪事！

馬西勒斯　前兩次它也是這樣不先不後地在這個靜寂的時辰，用軍人的步態走過我們的眼前。

霍拉旭　我不知道究竟應該怎樣想法；可是大概推測起來，這恐怕預兆著我們國內將要有一番非常的變故。

馬西勒斯　好吧，坐下來。誰要是知道的，請告訴我，為什麼我們要有這樣森嚴的戒備，使全國的軍民每夜不得安息；為什麼每天都在製造銅炮，還要向國外購買戰具；為什麼征集大批造船匠，連星期日也不停止工作；這樣夜以繼日地辛苦忙碌，究竟爲了什麼？誰能告訴我？

霍拉旭　我可以告訴你；至少一般人都是這樣傳說。剛才它的形象還向我們出現的那位已故的王上，你們知道，曾經接受驕矜好勝的挪威的福丁布拉斯的挑戰；在那一次決鬥中間，我們的勇武的哈姆萊特，——他的英名是舉世稱頌的——把福丁布拉斯殺死了；按照雙方根據法律和騎士精神所訂立的協定，福丁布拉斯要是戰敗了，除了他自己的生命以外，必須把他所有的一切土地撥歸勝利的一方；同時我們的王上也提出相當的土地作爲賭注，要是福丁布拉斯得勝了，那土地也就歸他所有，正像在同一協定上所規定的，他失敗了，哈姆萊特可以把他的土地沒收一樣。現在要說起那位福丁布拉斯的兒子，他生得一副未經鍛鍊的烈火也似的性格，在挪威四境召集了一群無賴之徒，供給他們衣食，驅策他們去幹冒險的勾當，好叫他們顯一顯身手。他的唯一的目的，我們的當局看得很清楚，無非是要用武力和強迫性的條件，奪回他父親所喪失的土地。照我所知道的，這就是我們種種準備的主要動機，我們這樣戒備的唯一原因，也是全國所以這樣慌忙騷亂的緣故。

勃那多　我想正是爲了這個緣故。我們那位王上在過去和目前的戰亂中間，都是一個主要的角色，所以無怪他的武裝的形象要向我們出現示警了。

霍拉旭　那是擾亂我們心靈之眼的一點微塵。從前在富強繁盛的羅馬，在那雄才大略的裘力斯·凱撒遇害以前不久，披著殮衾的死人都從墳墓裡出來，在街道上啾啾鬼語，星辰拖著火尾，露水帶血，太陽變色，支配潮汐的月亮被吞蝕得像一個沒有起色的病人；這一類預報重大變故的徵兆，在我們國內的天上地下也已經屢次出現了。可是不要響！瞧！瞧！它又來了！

鬼魂重上。

霍拉旭　我要擋住它的去路，即使它會害我。不要走，鬼魂！要是你能出聲，會開口，對我說話吧，要是我有可以爲你效勞之處，使你的靈魂得到安息，那麼對我說話吧；要是你預知祖國的命運，靠著你的指示，也許可以及時避免未來的災禍，那麼對我說話吧；或者你在生前曾經把你搜括得來的財寶埋藏在地下，我聽見人家說，鬼魂往往在他們藏金的地方徘徊不散，（雞啼）要是有這樣的事，你也對我說吧；不要走，說呀！攔住它，馬西勒斯。

馬西勒斯　要不要我用我的戟刺它？

霍拉旭　好的，要是它不肯站定。

勃那多　它在這兒！

霍拉旭　它在這兒！（鬼魂下。）

馬西勒斯　它走了！我們不該用暴力對待這樣一個尊嚴的亡魂，因爲它是像空氣一樣不可侵害的，我們無益的打擊不過是惡意的徒勞。

勃那多　它正要說話的時候，雞就啼了。

霍拉旭　於是它就像一個罪犯聽到了可怕的召喚似的驚跳起來。我聽人家說，報曉的雄雞用它高銳的啼聲，喚醒了白晝之神，一聽到它的警告，那些在海裡、火裡、地下、空中到處浪游的有罪的靈魂，就一個個鑽回自己的巢穴裡去；這句話現在已經證實了。

馬西勒斯　那鬼魂正是在雞鳴的時候隱去的。有人說，在我們每

霍拉旭：可是不要響！瞧！瞧！它又來了！我要擋住它的去路，即使它會害我。不要走，鬼魂！

次歡慶聖誕之前不久，這報曉的鳥兒總會徹夜長鳴；那時候，他們說，沒有一個鬼魂可以出外行走，夜間的空氣非常清淨，沒有一顆星用毒光射人，沒有一個神仙用法術迷人，妖巫的符咒也失去了力量，一切都是聖潔而美好的。

霍拉旭　我也聽人家這樣說過，倒有幾分相信。可是瞧，清晨披著赤褐色的外衣，已經踏著那邊東方高山上的露水走過來了。我們也可以下班了。照我的意思，你們應該把我們今夜看見的事情告訴年輕的哈姆萊特；因為憑著我的生命起誓，這一個鬼魂雖然對我們不發一言，見了他一定有話要說。你們以為按著我們的交情和責任說起來，是不是應當讓他知道這件事情？

馬西勒斯　很好，我們決定去告訴他吧；我知道今天早上在什麼地方最容易找到他。（同下。）

第二場　城堡中的大廳

國王、王后、哈姆萊特、波洛涅斯、雷歐提斯、伏提曼德、考尼律斯、群臣、侍從等上。

國王　雖然我們親愛的王兄哈姆萊特新喪未久，我們的心裡應當充滿了悲痛，我們全國都應當表示一致的哀悼，可是我們凜於後死者責任的重大，不能不違情逆性，一方面固然要用適度的悲哀紀念他，一方面也要為自身的利害著想；所以，在一種悲喜交集的情緒之下，讓幸福和憂鬱分據了我的兩眼，殯葬的輓歌和結婚的笙樂同時並奏，用盛大的喜樂抵銷沉重的不幸，我已經和我舊日的長嫂，當今的王后，這一個多事之國的共同的統治者，結為夫妻；這一次婚姻事先曾經徵求各位的意見，多承你們誠意的贊助，這是我必須向大家致謝的。現在我要告訴你們知道，年輕的福丁布拉斯看輕了我們的實力，也許他以為自從我們親愛的王兄駕崩以後，我們的國家已經瓦解，所以挾著他的從中取利的夢想，不斷向我們書面要求把他的父親依法割讓給我們英勇的王兄的土地歸還。這是他一方面的話。現在要講到我們的態度和今天召集各位來此的目的。我們的對策是這樣的：我這兒已經寫好了一封信給挪威王國，年輕的福丁布拉斯的叔父——他因為臥病在床，不曾與聞他侄子的企圖——在信裡我請他注意他的侄子擅自在國內徵募壯丁，訓練士卒，積極進行各種準備的事實，要求他從速制止他的進一步的行動；現在我就派遣你，考尼律斯，還有你，伏提曼德，替我把這封信送給挪威老王，除了訓令上所規定的條件以外，你們不得僭用你們的權力，和挪威成立逾越範圍的妥協。你們趕緊去吧，再會！

考尼律斯
伏提曼德　我們不敢不盡力執行陛下的旨意。

國王　我相信你們的忠心；再會！（伏提曼德、考尼律斯同下）現在，雷歐提斯，你有什麼話說？你對我說你有一個請求；是什麼請求，雷歐提斯？只要是合理的事情，你向丹麥王說了，他總不會不答應你。你有什麼要求，雷歐提斯，不是你未開口我就自動許給了你？丹麥王室和你父親的關係，正像頭腦之於心靈一樣密切；丹麥國王樂意爲你父親效勞，正像雙手樂於爲嘴服役一樣。你要些什麼，雷歐提斯？

雷歐提斯　陛下，我要請求您允許我回到法國去。這一次我回國參加陛下加冕的盛典，略盡臣子的微忱，實在是莫大的榮幸；可是現在我的任務已盡，我的心願又向法國飛馳，但求陛下開恩允准。

國王　你父親已經答應你了嗎？波洛涅斯怎麼說？

波洛涅斯　陛下，我卻不過他幾次三番的懇求，已經勉強答應他了；請陛下放他去吧。

國王　好好利用你的時間，雷歐提斯，盡情發揮你的才能吧！可是來，我的侄兒哈姆萊特，我的孩子——

哈姆萊特　（旁白）超乎尋常的親族，漠不相干的路人。

國王　爲什麼愁雲依舊籠罩在你的身上？

哈姆萊特　不，陛下；我已經在太陽裡曬得太久了。

王后　好哈姆萊特，拋開你陰鬱的神氣吧，對丹麥王應該和顏悅色一點；不要老是垂下了眼皮，在泥土之中找尋你的高貴的父親。你知道這是一件很普通的事情，活著的人誰都要死去，從生活踏進永久的寧靜。

哈姆萊特　嗯，母親，這是一件很普通的事情。

王后　既然是很普通的，那麼你為什麼瞧上去好像老是這樣鬱鬱於心呢？

哈姆萊特　好像，母親！不，是這樣就是這樣，我不知道什麼「好像」不「好像」。好媽媽，我的墨黑的外套、禮俗上規定的喪服、難以吐出來的嘆氣、像滾滾江流一樣的眼淚、悲苦沮喪的臉色，以及一切儀式、外表和憂傷的流露，都不能表示出我的真實的情緒。這些才真是給人瞧的，因為誰也可以做作成這種樣子。它們不過是悲哀的裝飾和衣服；可是我的鬱結的心事卻是無法表現出來的。

國王　哈姆萊特，你這樣孝思不匱，原是你天性中純篤過人之處；可是你要知道，你的父親也曾失去過一個父親，那失去的父親自己也失去過父親；那後死的兒子為了盡他的孝道，必須有一個時期服喪守制，然而固執不變的哀傷，卻是一種逆天悖理的愚行，不是堂堂男子所應有的舉動；它表現出一個不肯安於天命的意志，一個經不起艱難痛苦的心，一個缺少忍耐的頭腦和一個簡單愚昧的理性。既然我們知道那是無可避免的事，無論誰都要遭遇到同樣的經驗，那麼我們為什麼要這樣固執地把心介介於懷呢？嘿！那是對上天的罪戾，對死者的罪戾，也是違反人情的罪戾；在理智上它是完全荒謬的，因為從第一個死了的父親

King. How is it that the clouds still hang on you?
Hamlet. Not so, my lord; I am too much i' the sun.
Act I. Scene II.

國　　王：爲什麼愁雲依舊籠罩在你的身上。
哈姆萊特：不，陛下；我已經在太陽裡曬得太久了。

起，直到今天死去的最後一個父親爲止，理智永遠在呼喊，「這是無可避免的。」我請你拋棄了這種無益的悲傷，把我當作你的父親；因爲我要讓全世界知道，你是王位的直接的繼承者，我要給你的尊榮和恩寵，不亞於一個最慈愛的父親之於他的兒子。至於你要回到威登堡去繼續求學的意思，那是完全違反我們的願望的；請你聽從我的勸告，不要離開這裡，在朝廷上領袖群臣，做我們最親近的國親和王子，使我們因爲每天能看見你而感到歡欣。

王后　不要讓你母親的祈求全歸無用，哈姆萊特；請你不要離開我們，不要到威登堡去。

哈姆萊特　我將要勉力服從您的意志，母親。

國王　啊，那才是一句有孝心的答覆；你將在丹麥享有和我同等的尊榮。御妻，來。哈姆萊特這一種自動的順從使我非常高興；爲了表示慶祝，今天丹麥王每一次舉杯祝飲的時候，都要放一響高入雲霄的祝炮，讓上天應和著地上的雷鳴，發出歡樂的回聲。來。（除哈姆萊特外均下。）

哈姆萊特　啊，但願這一個太堅實的肉體會溶解、消散，化成一堆露水！或者那永生的眞神未曾制定禁止自殺的律法！上帝啊！上帝啊！人世間的一切在我看來是多麼可厭、陳腐、乏味而無聊！哼！哼！那是一個荒蕪不治的花園，長滿了惡毒的莠草。想不到居然會有這種事情！剛死了兩個月！不，兩個月還不滿！這樣好的一個國王，比起當前這個來，簡直是天神和醜怪；這樣愛我的母親，甚至於不願讓天風吹痛了她的臉。天地呀！我必須記著嗎？嘿，她會偎倚在他的身旁，好像吃了美味的食物，格外促進了食慾一般，可是，只有一個月的時間，我不能再想下去了！脆弱啊，你的名字就是女人！短短的一個月以前，她哭得像個淚人兒似的，送我那可憐的父親下葬；她在送葬的時候所穿的那雙鞋子還沒有破舊，她就，她就——上帝啊！一頭沒有理性的畜生也要悲傷得長久一些——她就嫁給我的叔父，我的父親的弟弟，可是他一點不像我的父親，正像我一點不像赫剌克勒斯一樣。只有一個月的時間，她那流著虛僞之淚的眼睛還沒有消去紅腫，她就嫁了人了。啊，罪惡的匆促，這樣迫不及待地鑽進了亂倫的衾被！那不是好事，也不會有好結果，可是碎了吧，我的心，因爲我必須噤住我的嘴！

霍拉旭、馬西勒斯、勃那多同上。

霍拉旭　祝福，殿下！

哈姆萊特　我很高興看見你身體健康。你不是霍拉旭嗎？絕對沒有錯。

霍拉旭　正是，殿下；我永遠是您的卑微的僕人。

哈姆萊特　不，你是我的好朋友；我願意和你朋友相稱。你怎麼不在威登堡，霍拉旭？馬西勒斯！

馬西勒斯　殿下——

哈姆萊特　我很高興看見你。（向勃那多）你好，朋友。——可是你究竟爲什麼離開威登堡？

霍拉旭　無非是偷閒躱懶罷了，殿下。

哈姆萊特　我不願聽見你的仇敵說這樣的話，你也不能用這樣的話刺痛我的耳朶，使它相信你對你自己所作的誹謗；我知道你不是一個偷閒躱懶的人。可是你到艾爾西諾來有什麼事？趁你未去之前，我們要陪你痛飲幾杯哩。

霍拉旭　殿下，我是來參加您的父王的葬禮的。

哈姆萊特　請你不要取笑，我的同學；我想你是來參加我的母后的婚禮的。

霍拉旭　眞的，殿下，這兩件事情相去得太近了。

哈姆萊特　這是一舉兩便的辦法，霍拉旭！葬禮中剩下來的殘羹冷炙，正好宴請婚筵上的賓客。霍拉旭，我寧願在天上遇見我的最痛恨的仇人，也不願看到那樣的一天！我的父親，我彷彿看見我的父親。

霍拉旭　啊，在什麼地方，殿下？

哈姆萊特　在我的心靈的眼睛裡，霍拉旭。

霍拉旭　我曾經見過他一次；他是一位很好的君王。

哈姆萊特　他是一個堂堂男子；整個說起來，我再也見不到像他那樣的人了。

霍拉旭　殿下，我想我昨天晚上看見他。

哈姆萊特　看見誰？

霍拉旭　殿下，我看見您的父王。

哈姆萊特　我的父王！

霍拉旭　不要吃驚，請您靜靜地聽我把這件奇事告訴您，這兩位可以替我做見證。

哈姆萊特　看在上帝的份上，講給我聽。

霍拉旭　這兩位朋友，馬西勒斯和勃那多，在萬籟俱寂的午夜守望的時候，曾經連續兩夜看見一個自頂至踵全身甲胄、像您父親一樣的人形，在他們的面前出現，用莊嚴而緩慢的步伐走過他們的身邊。在他們驚奇駭愕的眼前，它三次走過去，它手裡所握的鞭杖可以碰到他們的身上；他們嚇得幾乎渾身都癱瘓了，只是呆立著不動，一句話也沒有對它說。懷著惴懼的心情，他們把這件事悄悄地告訴了我，我就在第三夜陪著他們一起守望；正像他們所說的一樣，那鬼魂又出現了，出現的時間和它的形狀，證實了他們的每一個字都是正確的。我認識您的父親；那鬼魂是那樣酷肖它的生前，我這兩手也不及他們彼此的相似。

哈姆萊特　可是這是在什麼地方？

馬西勒斯　殿下，就在我們守望的露臺上。

哈姆萊特　你們有沒有和它說話？

霍拉旭　殿下，我說了，可是它沒有回答我，不過有一次我覺得它好像抬起頭來，像要開口說話似的，可是就在那時候，晨雞高聲啼了起來，它一聽見雞聲，就很快地隱去不見了。

哈姆萊特　這很奇怪。

霍拉旭　憑著我的生命起誓，殿下，這是眞的；我們認爲按著我們的責任，應該讓您知道這件事。

哈姆萊特　不錯，不錯，朋友們；可是這件事情很使我迷惑。你們今晚仍舊要去守望嗎？

馬西勒斯
勃那多　是，殿下。

哈姆萊特　你們說它穿著甲冑嗎？

馬西勒斯
勃那多　是，殿下。

哈姆萊特　從頭到腳？

馬西勒斯
勃那多　從頭到腳，殿下。

哈姆萊特　那麼你們沒有看見它的臉嗎？

霍拉旭　啊，看見的，殿下；它的臉甲是掀起的。

哈姆萊特　怎麼，它瞧上去像在發怒嗎？

霍拉旭　它的臉上悲哀多於憤怒。

哈姆萊特　它的臉色是慘白的還是紅紅的？

霍拉旭　非常慘白。

哈姆萊特　它把眼睛注視著你嗎？

霍拉旭　它直盯著我瞧。

哈姆萊特　我眞希望當時我也在場。

霍拉旭　那一定會使您吃驚萬分。

哈姆萊特　多半會的，多半會的。它停留得長久嗎？

霍拉旭　大概有一個人用不快不慢的速度從一數到一百的那段時間。

馬西勒斯
勃那多　還要長久一些，還要長久一些。

霍拉旭　我看見它的時候，不過這麼久。

哈姆萊特　它的鬍鬚是斑白的嗎？

霍拉旭　是的，正像我在它生前看見的那樣，烏黑的鬍鬚裡略有幾根變成白色。

哈姆萊特　我今晚也要守夜去；也許它還會出來。

霍拉旭　我可以擔保它一定會出來。

哈姆萊特　要是它借著我的父王的形貌出現，即使地獄張開嘴來，叫我不要作聲，我也一定要對它說話。要是你們到現在還沒有把你們看見的告訴別人，那麼我要請求你們大家繼續保持沉默；無論今夜發生什麼事情，都請放在心裡，不要在口舌之間洩漏出去。我一定會報答你們的忠誠。好，再會；今晚十一點鐘到十二點鐘之間，我要到露臺上來看你們。

眾人　我們願意為殿下盡忠。

哈姆萊特　讓我們彼此保持著不渝的交情；再會！（霍拉旭、馬西勒斯、勃那多同下）我父親的靈魂披著甲冑！事情有些不妙；我想這裡面一定有奸人的惡計。但願黑夜早點到來！靜靜地等著吧，我的靈魂；罪惡的行為總有一天會發現，雖然地上所有的泥土把它們遮掩。（下。）

第三場　波洛涅斯家中一室

雷歐提斯及奧菲利婭上。

雷歐提斯　我需要的物件已經裝在船上，再會了；妹妹，在好風給人方便、船隻來往無阻的時候，不要貪睡，讓我聽見你的消息。

奧菲利婭　你還不相信我嗎？

雷歐提斯　對於哈姆萊特和他的調情獻媚，你必須把它認作年輕人一時的感情衝動，一朵初春的紫羅蘭早熟而易凋，馥郁而不能持久，一分鐘的芬芳和喜悅，如此而已。

奧菲利婭　不過如此嗎？

雷歐提斯　不過如此；因為一個人成長的過程，不僅是肌肉和體格的增強，而且隨著身體的發展，精神和心靈也同時擴大。也許他現在愛你，他的真誠的意志是純潔而不帶欺詐的；可是你必須留心，他有這樣高的地位，他的意志並不屬於他自己，因為他自己也要被他的血統所支配；他不能像一般庶民一樣為自己選擇，因為他的決定足以影響到整個國本的安危，他是全身的首腦，他的選擇必須得到各部分肢體的同意；所以要是他說，他愛你，你不可貿然相信，應該明白；照他的身分地位說來，他要想把自己的話付諸實現，決不能越出丹麥國內普遍輿論所同意的範圍。你再想一想，要是你用過於輕信的耳朵傾聽他的歌曲，讓他攫走了你的心，在他的狂妄的瀆求之下，打開了你的寶貴的童貞，那時候你的名譽將要蒙受多大的損失。留心，奧菲利婭，留心，我的親愛的妹妹，不要放縱你的愛情，不要讓欲望的利箭把你射中。一個自愛的女郎，若是向月亮顯露她的美貌就算是極端放蕩了；聖賢也不能逃避讒口的中傷；春天的草木往往還沒有吐放它們的蓓蕾，就被蛀蟲蠹蝕；朝露一樣晶瑩的青春，常常會受到罡風的吹打。所以留心吧，戒懼是最安全的方策；即使沒有旁人的誘惑，少年的血氣也要向他自己叛變。

奧菲利婭　我將要記住你這個很好的教訓，讓它看守著我的心。可是，我的好哥哥，你不要像有些壞牧師一樣，指點我上天去的險峻的荊棘之途，自己卻在花街柳巷流連忘返，忘記了自己的箴言。

雷歐提斯　啊！不要爲我擔心。我耽擱得太久了；可是父親來了。

波洛涅斯上。

雷歐提斯　兩度的祝福是雙倍的福分；第二次的告別是格外可喜的。

波洛涅斯　還在這兒，雷歐提斯！上船去，上船去，眞好意思！風息在帆頂上，人家都在等著你哩。好，我爲你祝福！還有幾句教訓，希望你銘刻在記憶之中；不要想到什麼就說什麼，凡事必須三思而行。對人要和氣，可是不要過分狎暱。相知有素的朋友，應該用鋼圈箍在你的靈魂上，可是不要對每一個泛泛的新知濫施你的交情。留心避免和人家爭吵；可是萬一爭端已起，就應該讓對方知道你不是可以輕侮的。傾聽每一個人的意見，可是只對極少數人發表你的意見；接受每一個人的批評，可是保留你自己的判斷。盡你的財力購製貴重的衣服，可是不要炫新立異，必須富麗而不浮艷，因爲服裝往往可以表現人格；法國的名流要人，就是在這點上顯得最高尚，與衆不同。不要向人告貸，也不要借錢給人；因爲債款放了出去，往往不但丟了本錢，而且還失去了朋友；向人告貸的結果，容易養成因循懶惰的習慣。尤其要緊的，你必須對你自己忠實；正像有了白晝才有黑夜一樣，對自己忠實，才不會對別人欺詐。再會；願我的祝福使這一番話在你的行事中奏效！

雷歐提斯　父親，我告別了。

波洛涅斯　時候不早了；去吧，你的僕人都在等著。

雷歐提斯　再會，奧菲利婭，記住我對你說的話。

奧菲利婭　你的話已經鎖在我的記憶裡，那鑰匙你替我保管著吧。

雷歐提斯　再會！（下。）

波洛涅斯　奧菲利婭，他對你說些什麼話？

奧菲利婭　回父親的話，我們剛才談起哈姆萊特殿下的事情。

波洛涅斯　嗯，這是應該考慮一下的。聽說他近來常常跟你在一起，你也從來不拒絕他的求見；要是果然有這種事——人家這樣告訴我，也無非是叫我注意的意思——那麼我必須對你說，你還沒有懂得你做了我的女兒，按照你的身分，應該怎樣留心你自己的行動。究竟在你們兩人之間有些什麼關係？老實告訴我。

波洛涅斯：奧菲利婭，他對你說些什麼話？
奧菲利婭：回父親的話，我們剛才談起哈姆萊特殿下的事情。

奧菲利婭　父親，他最近曾經屢次向我表示他的愛情。

波洛涅斯　愛情！呸！你講的話完全像是一個不曾經歷過這種危險的不懂事的女孩子。你相信你所說的他的那種表示嗎？

奧菲利婭　父親，我不知道我應該怎樣想才好。

波洛涅斯　好，讓我來教你；你應該這樣想，你是一個毛孩子，竟然把這些假意的表示當作了眞心的奉獻。你應該「表示」出一番更大的架子，要不然——就此打住吧，這個可憐的字眼被我使喚得都快斷氣了——你就「表示」你是個十足的傻瓜。

奧菲利婭　父親，他向我求愛的態度是很光明正大的。

波洛涅斯　不錯，那只是態度；算了，算了。

奥菲利婭　而且，父親，他差不多用盡一切指天誓日的神聖的盟約，證實他的言語。

波洛涅斯　嗯，這些都是捕捉愚蠢的山鷸的圈套。我知道在熱情燃燒的時候，一個人無論什麼盟誓都會說出口來；這些火焰，女兒，是光多於熱的，剛剛說出口就會光消焰滅，你不能把它們當作眞火看待。從現在起，你還是少露一些你的女兒家的臉；你應該抬高身價，不要讓人家以為你是可以隨意呼召的。對於哈姆萊特殿下，你應該這樣想，他是個年輕的王子，他比你在行動上有更大的自由。總而言之，奥菲利婭，不要相信他的盟誓，它們不過是淫媒，內心的顏色和服裝完全不一樣，只曉得誘人幹一些齷齪的勾當，正像道貌岸然大放厥辭的鴇母，只求達到騙人的目的。我的言盡於此，簡單一句話，從現在起，我不許你一有空閒就跟哈姆萊特殿下聊天。你留點兒神吧；進去。

奥菲利婭　我一定聽從您的話，父親。（同下。）

第四場　露　臺

哈姆萊特、霍拉旭及馬西勒斯上。

哈姆萊特　風吹得人怪痛的，這天氣眞冷。

霍拉旭　是很凜冽的寒風。

哈姆萊特　現在什麼時候了？

霍拉旭　我想還不到十二點。

馬西勒斯　不，已經打過了。

霍拉旭　眞的？我沒有聽見；那麼鬼魂出現的時候快要到了。

（內喇叭奏花腔及鳴炮聲）這是什麼意思，殿下？

哈姆萊特　王上今晚大宴群臣，作通宵的醉舞；每次他喝下了一杯葡萄美酒，銅鼓和喇叭便吹打起來，歡祝萬壽。

霍拉旭　這是向來的風俗嗎？

哈姆萊特　嗯，是的。可是我雖然從小就熟習這種風俗，我卻以爲把它破壞了倒比遵守它還體面些。這一種酗酒縱樂的風俗，使我們在東西各國受到許多非議；他們稱我們爲酒徒醉漢，將下流的污名加在我們頭上，使我們各項偉大的成就都因此而大爲減色。在個人方面也常常是這樣，由於品性上有某些醜惡的瘢痣；或者是天生的——這就不能怪本人，因爲天性不能由自己選擇；或者是某種脾氣發展到反常地步，衝破了理智的約束和防衛；或者是某種習慣玷污了原來令人喜愛的舉止；這些人只要帶著上述一種缺點的烙印——天生的標記或者偶然的機緣——不管在其餘方面他們是如何聖潔，如何具備一個人所能有的無限美德，由於那點特殊的毛病，在世人的非議中也會感染潰爛；少量的邪惡足以勾銷全部高貴的品質，害得人聲名狼藉。

鬼魂上

霍拉旭　瞧，殿下，它來了！

哈姆萊特　天使保佑我們！不管你是一個善良的靈魂或是萬惡的妖魔，不管你帶來了天上的和風或是地獄中的罡風，不管你的來意好壞，因爲你的形狀是這樣引起我的懷疑，我要對你說話；我要叫你哈姆萊特，君王，父親！尊嚴的丹麥先王，啊，回答我！不要讓我在無知的蒙昧裡抱恨終天；告訴我爲什麼你的長眠的骸骨不安窀穸，爲什麼安葬著你的遺體的墳墓張開它的沉重的大理石的兩顎，把你重新吐放出來。你這已死的屍體這樣全身甲冑，出現在月光之下，使黑夜變得這樣陰森，使我們這些爲造化所玩弄的愚人由於不可思議的恐怖而心驚膽顫，究竟是什麼意思呢？說，這是爲了什麼？你要我們怎樣？（鬼魂向哈姆萊特招手。）

霍拉旭 它招手叫您跟著它去，好像它有什麼話要對您一個人說似的。

馬西勒斯 瞧，它用很有禮貌的舉動，招呼您到一個僻遠的所在去；可是別跟它去。

霍拉旭 千萬不要跟它去。

哈姆萊特 它不肯說話；我還是跟它去。

霍拉旭 不要去，殿下。

哈姆萊特 嗨，怕什麼呢？我把我的生命看得不值一枚針；至於我的靈魂，那是跟它自己同樣永生不滅的，它能夠加害它嗎？它又在招手叫我前去了；我要跟它去。

霍拉旭 殿下，要是它把您誘到潮水裡去，或者把您領到下臨大海的峻峭的懸崖之巔，在那邊它現出了猙獰的面貌，嚇得您喪失理智，變成瘋狂，那可怎麼好呢？您想，無論什麼人一到了那樣的地方，望著下面千仞的峭壁，聽見海水奔騰的怒吼，即使沒有別的原因，也會起窮凶極惡的怪念的。

哈姆萊特 它還在向我招手。去吧，我跟著你。

馬西勒斯 您不能去，殿下。

哈姆萊特 放開你們的手！

霍拉旭 聽我們的勸告，不要去。

哈姆萊特 我的命運在高聲呼喊，使我全身每一根微細的血管都變得像怒獅的筋骨一樣堅硬。（鬼魂招手）它仍舊在招我

Horatio. Look, my lord, it comes!
Hamlet. Angels and ministers of grace defend us!
Act I. Scene IV.

霍拉旭：瞧，殿下，它來了！
哈姆萊特：天使保佑我們！

去。放開我，朋友們；（掙脫二人之手）憑著上天起誓，誰要是拉住我，我要叫他變成一個鬼！走開！去吧，我跟著你。（鬼魂及哈姆萊特同下。）

霍拉旭 幻想佔據了他的頭腦；使他不顧一切。

馬西勒斯 讓我們跟上去；我們不應該服從他的話。

霍拉旭 那麼跟上去吧。這種事情會引出些什麼結果來呢？

馬西勒斯 丹麥國裡恐怕有些不可告人的壞事。

霍拉旭 上帝的旨意支配一切。

馬西勒斯 得了，我們還是跟上去吧。（同下。）

第五場　露臺的另一部份

鬼魂及哈姆萊特上。

哈姆萊特 你要領我到什麼地方去？說；我不願再前進了。

鬼魂 聽我說。

哈姆萊特 我在聽著。

鬼魂 我的時間快到了，我必須再回到硫黃的烈火裡去受煎熬的痛苦。

哈姆萊特 唉，可憐的亡魂！

鬼魂 不要可憐我，你只要留心聽著我要告訴你的話。

哈姆萊特 說吧；我自然要聽。

鬼魂 你聽了以後，也自然要替我報仇。

哈姆萊特 什麼？

鬼魂 我是你父親的靈魂，因爲生前孽障未盡，被判在晚間遊行地上，白晝忍受火焰的燒灼，必須經過相當的時期，等生前的過失被火焰淨化以後，方才可以脫罪。若不是因爲我不能違犯禁令，洩漏我在獄中的秘密，我可以告訴你一樁事，最輕微的幾句話，都可以使你魂飛魄散，使你年輕的血液凝凍成冰，使你的雙眼像脫了軌道的星球一樣向前突出，使你的糾結的捲髮根根分開，像憤怒的豪豬身上的刺毛一樣森然聳立；可是這一種永恆的神秘，是不能向血肉的凡耳宣示的。聽著，聽著，啊，聽著！要是你曾經愛過你的親愛的父親——

哈姆萊特　上帝啊！

鬼魂　你必須替他報復那逆倫慘惡的殺身仇恨。

哈姆萊特　殺身的仇恨！

鬼魂　殺人是重大的罪惡；可是這一件謀殺的慘案，更是駭人聽聞而逆天害理的罪行。

哈姆萊特　趕快告訴我，讓我駕著像思想和愛情一樣迅速的翅膀，飛去把仇人殺死。

鬼魂　我的話果然激動了你；要是你聽見了這種事情而漠然無動於衷，那你除非比舒散在忘河之濱的蔓草還要冥頑不靈。現在，哈姆萊特，聽我說；一般人都以爲我在花園裡睡覺的時候，一條蛇來把我螫死，這是一個虛構的死狀，把丹麥全國的人都騙過了；可是你要知道，好孩子，那毒害你父親的蛇，頭上戴著王冠呢。

哈姆萊特　啊，我的預感果然是眞的！我的叔父！

鬼魂　嗯，那個亂倫的、奸淫的畜生，他有的是過人的詭詐，天賦的奸惡，憑著他的陰險的手段，誘惑了我的外表上似乎非常貞淑的王后，滿足他的無恥的獸慾。啊，哈姆萊特，那是一個多麼卑鄙無恥的背叛！我的愛情是那樣純潔眞誠，始終信守著我在結婚的時候對她所作的盟誓；她卻會對一個天賦的才德遠不如我的惡人降心相從！可是正像一個貞潔的女子，雖然淫慾罩上神聖的外表，也不能把她煽動一樣，一個淫婦雖然和光明的天使為偶，也會有一天厭倦於天上的唱隨之樂，而寧願摟抱人間的朽骨。可是且慢！我彷彿嗅到了清晨的空氣；讓我把話說得簡短一些。當我按照每天午後的慣例，在花園裡睡覺的時候，你的叔父乘我不備，悄悄溜了進來，拿著一個盛著毒草汁的小瓶，把一種使人痲痺的藥水注入我的耳腔之內，那藥性發作起來，會像水銀一樣很快地流過全身的大小血管，像酸液滴進牛乳一般把淡薄而健全的血液凝結起來；它一進入我的身體，我全身光滑的皮膚上便立刻生出無數疱疹，像害著癩病似的滿布著可憎的鱗片。這樣，我在睡夢之中，被一個兄弟同時奪去了我的生命、我的王冠和我的王后；甚至於不給我一個懺罪的機會，使我在沒有領到聖餐也沒有受過臨終塗膏禮以前，就一無準備地負著我的全部罪惡去對簿陰曹。可怕啊，可怕！要是你有天性之情，不要默爾而息，不要讓丹麥的御寢變成了藏奸養逆的臥榻；可是無論你怎樣進行復仇，不要胡亂猜疑，更不可對你的母親有什麼不利的圖謀，她自會受到上天的裁判，和她自己內心中的荊棘的刺戳。現在我必須去了！螢火的微光已經開始暗淡下去，清晨快要到來了；再會！再會！哈姆萊特，記著我。（下。）

哈姆萊特　天上的神明啊！地啊！再有什麼呢？我還要向地獄呼喊嗎？啊，呸！忍著吧，忍著吧，我的心！我的全身的筋骨，不要一下子就變成衰老，支持著我的身體呀！記著你！是的，你可憐的亡魂，當記憶不曾從我這混亂的頭腦裡消失的時候，我會記著你的。記著你！是的，我要從我的記憶的碑版上，拭去一切瑣碎愚蠢的記錄、一切書本上的格言、一切陳言套語、一切過去的印象、我的少年的閱歷所留下的痕跡，只讓你的命令留在我的腦筋的書卷裡，不攙雜一些下賤的廢料；是的，上天爲我作證！啊，最惡毒的婦人！啊，奸賊，奸賊，臉上堆著笑的萬惡的奸賊！我的記事簿呢？我必須把它記下來：一個人可以盡管滿面都是笑，骨子裡卻是殺人的奸賊；至少我相信在丹麥是這樣的。（寫字）好，叔父，我把你寫下來了。現在我要記下我的座右銘那是，「再會，再會！記著我。」我已經發過誓了。

霍拉旭　（在內）殿下！殿下！

馬西勒斯　（在內）哈姆萊特殿下！

霍拉旭　（在內）上天保佑他！

馬西勒斯　（在內）但願如此！

霍拉旭　（在內）喂，呵，呵，殿下！

哈姆萊特　喂，呵，呵，孩兒！來，鳥兒，來。

霍拉旭及馬西勒斯上。

馬西勒斯　怎樣，殿下！

霍拉旭　有什麼事，殿下？

哈姆萊特　啊，奇怪！

霍拉旭　好殿下，告訴我們。

哈姆萊特　不，你們會洩漏出去的。

霍拉旭　不，殿下，憑著上天起誓，我一定不洩漏。

馬西勒斯　我也一定不洩漏，殿下。

哈姆萊特　那麼你們說，哪一個人會想得到有這種事？可是你們能夠保守秘密嗎？

霍拉旭
馬西勒斯 是，上天爲我們作證，殿下。

哈姆萊特　全丹麥從來不曾有哪一個奸賊不是一個十足的壞人。

霍拉旭　殿下，這樣一句話是用不著什麼鬼魂從墳墓裡出來告訴我們的。

哈姆萊特　啊，對了，你說得有理；所以，我們還是不必多說廢話，大家握握手分開了吧。你們可以去照你們自己的意思幹你們自己的事——因爲各人都有各人的意思和各人的事，這是實際情況——至於我自己，那麼我對你們說，我是要祈禱去的。

霍拉旭　殿下，您這些話好像有些瘋瘋癲癲似的。

哈姆萊特　我的話得罪了你，眞是非常抱歉；是的，我從心底裡抱歉。

霍拉旭　談不上得罪，殿下。

哈姆萊特　不，憑著聖伯特力克①的名義，霍拉旭，談得上，而且罪還不小呢。講到這一個幽靈，那麼讓我告訴你們，它是一個老實的亡魂；你們要是想知道它對我說了些什麼話，我只好請你們暫時不必動問。現在，好朋友們，你們都是我的朋友，都是學者和軍人，請你們允許我一個卑微的要求。

霍拉旭　是什麼要求，殿下？我們一定允許您。

哈姆萊特　永遠不要把你們今晚所見的事情告訴別人。

---

①聖伯特力克(St. Patrick)，愛爾蘭的保護神，據說曾從愛爾蘭把蛇驅走。

霍拉旭
馬西勒斯　殿下，我們一定不告訴別人。

哈姆萊特　不，你們必須宣誓。

霍拉旭　憑著良心起誓，殿下，我決不告訴別人。

馬西勒斯　憑著良心起誓，殿下，我也決不告訴別人。

哈姆萊特　把手按在我的劍上宣誓。

馬西勒斯　殿下，我們已經宣誓過了。

哈姆萊特　那不算，把手按在我的劍上。

鬼魂　（在下）宣誓！

哈姆萊特　啊哈！孩兒！你也這樣說嗎？你在那兒嗎，好傢伙？來；你們聽不見這個地下的人怎麼說嗎？宣誓吧。

霍拉旭　請您教我們怎樣宣誓，殿下。

哈姆萊特　永不向人提起你們所看見的這一切。把手按在我的劍上宣誓。

鬼魂　（在下）宣誓！

哈姆萊特　「說哪裏，到哪裏」嗎？那麼我們換一個地方。過來，朋友們。把你們的手按在我的劍上，宣誓永不向人提起你們所聽見的這件事。

鬼魂　（在下）宣誓！

哈姆萊特　說得好，老鼴鼠！你能夠在地底鑽得這麼快嗎？好一個開路的先鋒！好朋友們，我們再來換一個地方。

霍拉旭　噯喲，真是不可思議的怪事！

哈姆萊特　那麼你還是用見怪不怪的態度對待它吧。霍拉旭，天地之間有許多事情，是你們的哲學裡所沒有夢想到的呢？可是，來，上帝的慈悲保佑你們，你們必須再作一次宣誓。我今後也許有時候要故意裝出一副瘋瘋癲癲的樣子，你們要是在那時候看見了我的古怪的舉動，切不可像這樣交叉著手臂，或者這樣搖頭擺腦的，或者嘴裡說一些吞吞吐吐的言詞，例如「呃，呃，我們知道」，或是「只要我們高興，我們就可以」，或是「要是我們願意說出來的話」，或是「有人要是怎麼怎麼」，諸如此類的含糊其辭的話語，表示你們知道我有些什麼秘密；你們必須答應我避開這一類言詞，上帝的恩惠和慈悲保佑著你們，宣誓吧。

鬼魂 （在下）宣誓！（二人宣誓。）

哈姆萊特 安息吧，安息吧，受難的靈魂！好，朋友們，我以滿懷的熱情，信賴著你們兩位；要是在哈姆萊特的微弱的能力以內，能夠有可以向你們表示他的友情之處，上帝在上，我一定不會有負你們。讓我們一同進去；請你們記著無論在什麼時候都要守口如瓶。這是一個顛倒混亂的時代，唉，倒楣的我卻要負起重整乾坤的責任！來，我們一塊兒去吧。（同下。）

第二幕

第一場　波洛涅斯家中一室

波洛涅斯及雷奈爾多上。

波洛涅斯　把這些錢和這封信交給他，雷奈爾多。

雷奈爾多　是，老爺。

波洛涅斯　好雷奈爾多，你在沒有去看他以前，最好先探聽探聽他的行爲。

雷奈爾多　老爺，我本來就有這個意思。

波洛涅斯　很好，很好，好得很。你先給我調查調查有些什麼丹麥人在巴黎，他們是幹什麼的，叫什麼名字，有沒有錢，住在什麼地方，跟哪些人作伴，用度大不大；用這種轉彎抹角的方法，要是你打聽到他們也認識我的兒子，你就可以更進一步，表示你對他也有相當的認識；你可以這樣說：「我知道他的父親和他的朋友，對他也略爲有點認識。」你聽見沒有，雷奈爾多？

雷奈爾多　是，我在留心聽著，老爺。

波洛涅斯　「對他也略爲有點認識，可是，」你可以說，「不怎麼熟悉；不過假如果然是他的話，那麼他是個很放浪的人，有些怎樣怎樣的壞習慣。」說到這裡，你就可以隨便捏造一些關於他的壞話；當然囉，你不能把他說得太不成樣子，那是會損害他的名譽的，這一點你必須注意；可是你不妨舉出一些紈袴子弟們所犯的最普通的浪蕩的行為。

雷奈爾多　譬如賭錢，老爺。

波洛涅斯　對了，或是喝酒、鬥劍、賭咒、吵嘴、嫖妓之類，你都可以說。

雷奈爾多　老爺，那是會損害他的名譽的。

波洛涅斯　不，不，你可以在言語之間說得輕淡一些。你不能說他公然縱慾，那可不是我的意思；可是你要把他的過失講得那麼巧妙，讓人家聽著好像那不過是行為上的小小的不檢，一個躁急的性格不免會有的發作，一個血氣方剛的少年的一時胡鬧，算不了什麼。

雷奈爾多　可是老爺——

波洛涅斯　為什麼叫你做這種事？

雷奈爾多　是的，老爺，請您告訴我。

波洛涅斯　呃，我的用意是這樣的，我相信這是一種說得過去的策略；你這樣輕描淡寫地說了我兒子的一些壞話，就像你提起一件略有污損的東西似的，聽著，要是跟你談話的那個人，也就是你向他探詢的那個人，果然看見過你所說起的那個少年犯了你剛才所列舉的那些罪惡，他一定會用這樣的話向你表示同意：「好先生——」也許他稱你「朋友」，「仁兄」，按照著各人的身分和各國的習慣。

雷奈爾多　很好，老爺。

波洛涅斯　然後他就——他就——我剛才要說一句什麼話？噯喲，我正要說一句什麼話；我說到什麼地方啦？

雷奈爾多　您剛才說到「用這樣的話表示同意」；還有「朋友」

或者「仁兄」。

波洛涅斯 說到「用這樣的話表示同意」，嗯，對了；他會用這樣的話對你表示同意：「我認識這位紳士，昨天我還看見他，或許是前天，或許是什麼什麼時候，跟什麼什麼人在一起，正像您所說的，他在什麼地方賭錢，在什麼地方喝得酩酊大醉，在什麼地方因爲打網球而跟人家打起架來；」也許他還會說，「我看見他走進什麼什麼一家生意人家去，」那就是說窯子或是諸如此類的所在。你瞧，你用說謊的釣餌，就可以把事實的眞相誘上你的釣鉤；我們有智慧、有見識的人，往往用這種旁敲側擊的方法，間接達到我們的目的；你也可以照著我上面所說的那一番話，探聽出我的兒子的行爲。你懂得我的意思沒有？

雷奈爾多 老爺，我懂得。

波洛涅斯 上帝和你同在，再會！

雷奈爾多 那麼我去了，老爺。

波洛涅斯 你自己也得留心觀察他的舉止。

雷奈爾多 是，老爺。

波洛涅斯 叫他用心學習音樂。

雷奈爾多 是，老爺。

波洛涅斯 你去吧！（雷奈爾多下。）

奧菲利婭上。

波洛涅斯 啊，奧菲利婭！什麼事？

奧菲利婭 噯喲，父親，嚇死我了！

波洛涅斯 憑著上帝的名義，怕什麼？

奧菲利婭 父親，我正在房間裡縫紉的時候，哈姆萊特殿下跑了進來，走到我的面前；他的上身的衣服完全沒有扣上鈕

波洛涅斯：啊，奧菲利婭！什麼事？
奧菲利婭：噯喲，父親，嚇死我了！

釦，頭上也不戴帽子，他的襪子沾著污泥，沒有襪帶，一直垂到腳踝上；他的臉色像他的襯衫一樣白，他的膝蓋互相碰撞，他的神情是那樣淒慘，好像他剛從地獄裡逃出來，要向人講述地獄的恐怖一樣。

波洛涅斯　他因為不能得到你的愛而發瘋了嗎？

奧菲利婭　父親，我不知道，可是我想也許是的。

波洛涅斯　他怎麼說？

奧菲利婭　他握住我的手腕緊緊不放，拉直了手臂向後退立，用他的另一隻手這樣遮在他的額角上，一眼不眨地瞧著我的臉，好像要把它臨摹下來似的。這樣經過了好久的時間，然後他輕輕地搖動一下我的手臂，他的頭上上下下點了三次，於是他發出一聲非常慘痛而深長的嘆息，好像他的整個的胸部都要爆裂，他的生命就在這一聲嘆息中間完畢似的。然後他放鬆了我，轉過他的身體，他的頭還是向後回顧，好像他不用眼睛的幫助也能夠找到他的路，因爲直到他走出了門外，他的兩眼還是注視在我的身上。

波洛涅斯　跟我來；我要見王上去。這正是戀愛不遂的瘋狂；一個人受到這種劇烈的刺激，什麼不顧一切的事情都會幹得出來，其他一切能迷住我們本性的狂熱，最厲害也不過如此。我眞後悔。怎麼，你最近對他說過什麼使他難堪的話沒有？

奧菲利婭　沒有，父親，可是我已經遵從您的命令，拒絕他的來信，並且不允許他來見我。

波洛涅斯　這就是使他瘋狂的原因。我很後悔考慮得不夠周到，看錯了人。我以爲他不過把你玩弄玩弄，恐怕貽誤你的終身；可是我不該這樣多疑！正像年輕人幹起事來，往往不知道瞻前顧後一樣，我們這種上了年紀的人，總是免不了鰓鰓過慮。來，我們見王上去。這種事情是不能蒙蔽起來的，要是隱諱不報，也許會鬧出亂子來，比直言受責要嚴重得多。來。（同下。）

第二場　城堡中一室

國王、王后、羅森格蘭茲、吉爾登斯吞及侍從等上。

國王　歡迎，親愛的羅森格蘭茲和吉爾登斯吞！這次匆匆召請你們兩位前來，一方面是因爲我非常思念你們，一方面也是因爲我有需要你們幫忙的地方。你們大概已經聽到哈姆萊特的變化；我把它稱爲變化，因爲無論在外表上或是精神上，他已經和從前大不相同。除了他父親的死以外，究竟還有些什麼原因，把他激成了這種瘋瘋癲癲的樣子，我實在無從猜測。你們從小便跟他在一起長大，素來知道他的脾氣，所以我特地請你們到我們宮廷裡來盤桓幾天，陪伴陪伴他，替他解解愁悶，同時乘機窺探他究竟有些什麼秘密的心事，爲我們所不知道的，也許一旦公開之後，我們就可以替他對症下藥。

王后　他常常講起你們兩位，我相信世上沒有哪兩個人比你們更爲他所親信了。你們要是不嫌怠慢，答應在我們這兒小作停留，幫助我們實現我們的希望，那麼你們的盛情雅意，一定會受到丹麥王室隆重的禮謝的。

羅森格蘭茲　我們是兩位陛下的臣子，兩位陛下有什麼旨意，盡管命令我們；像這樣言重的話，倒使我置身無地了。

吉爾登斯吞　我們願意投身在兩位陛下的足下，兩位陛下無論有什麼命令，我們都願意盡力奉行。

國王　謝謝你們，羅森格蘭茲和善良的吉爾登斯吞。

王后　謝謝你們，吉爾登斯吞和善良的羅森格蘭茲。現在我就要請你們立刻去看看我的大大變了樣子的兒子。來人，領這兩位紳士到哈姆萊特的地方去。

吉爾登斯吞　但願上天保佑，使我們能夠得到他的歡心，幫助他恢復常態！

王后　阿門！（羅森格蘭茲、吉爾登斯吞及若干侍從下。）

波洛涅斯上。

波洛涅斯　啓稟陛下，我們派往挪威去的兩位欽使已經喜氣洋洋地回來了。

國王　你總是帶著好消息來報告我們。

波洛涅斯　眞的嗎，陛下？不瞞陛下說，我把我對於我的上帝和我的寬仁厚德的王上的責任，看得跟我的靈魂一樣重呢。此外，除非我的腦筋在觀察問題上不如過去那樣有把握了，不然我肯定相信我已經發現了哈姆萊特發瘋的原因。

國王　啊！你說吧，我急著要聽呢。

波洛涅斯　請陛下先接見了欽使；我的消息留著做盛筵以後的佳果美點吧。

國王　那麼有勞你去迎接他們進來。（波洛涅斯下）我的親愛的喬特魯德，他對我說他已經發現了你的兒子心神不定的原因。

王后　我想主要的原因還是他父親的死和我們過於迅速的結婚。

國王　好，等我們仔細問問。

波洛涅斯率伏提曼德及考尼律斯重上。

國王　歡迎，我的好朋友們！伏提曼德，我們的挪威王兄怎麼說？

伏提曼德　他叫我們向陛下轉達他的友好的問候。他聽到了我們的要求，就立刻傳諭他的侄兒停止征兵；本來他以爲這種舉動是準備對付波蘭人的，可是一經調查，才知道它的對象原來是陛下；他知道此事以後，痛心自己因爲年老多病，受人欺罔，震怒之下，傳令把福丁布拉斯逮捕；福丁布拉斯並未反抗，受到了挪威王一番申斥，最後就在他的叔父面前立誓決不興兵侵犯陛下。老王看見他誠心悔過，非常歡喜，當下就給他三千克朗的年俸，並且委任他統率他所徵募的那些兵士，去向波蘭人征伐；同時他叫我把這封信呈上陛下，（以書信呈上）請求陛下允許他的軍隊借道通過陛下的領土，他已經在信裡提出若干條件，保證決不擾亂地方的安寧。

國王　這樣很好，等我們有空的時候，還要仔細考慮一下，然後答覆。你們遠道跋涉，不辱使命，很是勞苦了，先去休息休息，今天晚上我們還要在一起歡宴。歡迎你們回來！

（伏提曼德、考尼律斯同下。）

波洛涅斯　這件事情總算圓滿結束了。王上、娘娘，要是我向你們長篇大論地解釋君上的尊嚴，臣下的名分，白晝何以爲白晝，黑夜何以爲黑夜，時間何以爲時間，那不過徒然浪費了晝、夜、時間；所以，旣然簡潔是智慧的靈魂，冗長是膚淺的藻飾，我還是把話說得簡單一些吧。你們的那位殿下是瘋了；我說他瘋了，因爲假如要說明什麼才是眞瘋，那就只有發瘋，此外還有什麼可說的呢？可是那也不用說了。

王后　多談些實際，少弄些玄虛。

波洛涅斯　娘娘，我發誓我一點不弄玄虛。他瘋了，這是眞的；惟其是眞的，所以才可嘆，它的可嘆也是眞的——蠢話少說，因爲我不願弄玄虛，好，讓我們同意他已經瘋了；現在我們就應該求出這一個結果的原因，或者不如說，這是一種病態的原因，因爲這個病態的結果不是無因而至的，這就是我們現在要做的一步工作。我們來想一想吧。我有一個女兒——當她還不過是我的女兒的時候，她是屬於我的——難得她一片孝心，把這封信給了我；現在請猜一猜這裡面說些什麼話。「給那天仙化人的，我的靈魂的偶像，最艷麗的奧菲利婭——」這是一個粗俗的說法，下流的說法；「艷麗」兩字用得非常下流；可是你們聽下去吧；「讓這幾行詩句留下在她的皎潔的胸中——」

王后　這是哈姆萊特寫給她的嗎？

波洛涅斯　好娘娘，等一等，我要老老實實地照原文念：

你可以疑心星星是火把；
　你可以疑心太陽會移轉；
你可以疑心真理是謊話；
　可是我的愛永沒有改變。

親愛的奧菲利婭啊！我的詩寫得太壞。我不會用詩句來抒寫我的愁懷；可是相信我，最好的人兒啊！我最愛的是你。再會！最親愛的小姐，只要我一息尚存，我就永遠是你的，哈姆萊特。」這一封信是我的女兒出於孝順之心拿來給我看的；此外，她又把他一次次求愛的情形，在什麼時候，用什麼方法，在什麼地方，全都講給我聽了。

國王　可是她對於他的愛情抱著怎樣的態度呢？

波洛涅斯　陛下以為我是怎樣的一個人？

國王　一個忠心正直的人。

波洛涅斯　但願我能夠證明自己是這樣一個人。可是假如我看見這場熱烈的戀愛正在進行——不瞞陛下說，我在我的女兒沒有告訴我以前，早就看出來了——假如我知道有了這麼一回事，卻在暗中玉成他們的好事，或者故意視若無睹，假作痴聾，一切不聞不問，那時候陛下的心裡覺得怎樣？我的好娘娘，您這位王后陛下的心裡又覺得怎樣？不，我一點兒也不敢懈怠我的責任，立刻就對我那位小姐說：「哈姆萊特殿下是一位王子，不是你可以仰望的；這種事情不能讓它繼續下去。」於是我把她教訓一番，叫她深居簡出，不要和他見面，不要接納他的來使，也不要收受他的禮物；她聽了這番話，就照著我的意思實行起來。簡而言之，他遭到拒絕以後，心裡就鬱鬱不快，於是飯也吃不下了，覺也睡不著了，他的身體一天憔悴一天，他的精神一天恍惚一天，這樣一步步發展下去，就變成現在他這一種爲我們大家所悲痛的瘋狂。

國王　你想是這個原因嗎？

王后　這是很可能的。

波洛涅斯　我倒很想知道知道，哪一次我曾經肯定地說過了「這件事情是這樣的」，而結果卻並不這樣？

國王　照我所知道的，那倒沒有。

波洛涅斯　要是我說錯了話，把這個東西從這個上面拿下來吧。（指自己的頭及肩）只要有線索可尋，我總會找出事實的眞相，即使那眞相一直藏在地球的中心。

國王　我們怎麼可以進一步試驗試驗？

波洛涅斯　您知道，有時候他會接連幾個鐘頭在這兒走廊裡踱來踱去。

王后　他眞的常常這樣踱來踱去。

波洛涅斯　乘他踱來踱去的時候，我就讓我的女兒去見他，你我可以躲在幃幕後面注視他們相會的情形，要是他不愛她，他的理智不是因爲戀愛而喪失，那麼不要叫我襄理國家的政務，讓我去做個耕田趕牲口的農夫吧。

國王　我們要試一試。

王后　可是瞧，這可憐的孩子憂憂愁愁地念著一本書來了。

波洛涅斯　請陛下和娘娘避一避；讓我走上去招呼他。（國王、王后及侍從等下。）

哈姆萊特讀書上。

波洛涅斯　啊，恕我冒昧。您好，哈姆萊特殿下？

哈姆萊特　呃，上帝憐憫世人！

波洛涅斯　您認識我嗎，殿下？

哈姆萊特　認識認識，你是一個賣魚的販子。

波洛涅斯　我不是，殿下。

哈姆萊特　那麼我但願你是一個和魚販子一樣的老實人。

波洛涅斯　老實，殿下！

哈姆萊特　嗯，先生；在這世上，一萬個人中間只不過有一個老實人。

波洛涅斯　這句話說得很對，殿下。

哈姆萊特　要是太陽能在一條死狗屍體上孵育蛆蟲，因爲它是一塊可親吻的臭肉——你有一個女兒嗎？

波洛涅斯　我有，殿下。

哈姆萊特　不要讓她在太陽光底下行走；肚子裡有學問是幸福，但不是像你女兒肚子裡會有的那種學問。朋友，留心哪。

波洛涅斯　（旁白）你們瞧，他念念不忘地提我的女兒；可是最初他不認識我，他說我是一個賣魚的販子。他的瘋病已經很深了，很深了。說句老實話，我在年輕的時候，爲了戀愛也曾大發其瘋，那樣子也跟他差不多哩。讓我再去對他說話。——您在讀些什麼，殿下？

哈姆萊特　都是些空話，空話，空話。

波洛涅斯　講的是什麼事，殿下？

哈姆萊特　誰同誰的什麼事？

波洛涅斯　我是說您讀的書裡講到些什麼事，殿下。

哈姆萊特　一派誹謗，先生；這個專愛把人譏笑的壞蛋在這兒說著，老年人長著灰白的鬍鬚，他們的臉上滿是皺紋，他們的眼睛裡黏滿了眼屎，他們的頭腦是空空洞洞的，他們的兩腿是搖搖擺擺的；這些話，先生，雖然我十分相信，可是照這樣寫在書上，總有些傷厚道，因為就是拿您先生自己來說，要是您能夠像一隻蟹一樣向後倒退，那麼您也應該跟我一樣年輕了。

波洛涅斯　（旁白）這些雖然是瘋話，卻有深意在內。——您要走進裡邊去嗎，殿下？別讓風吹著！

哈姆萊特　走進我的墳墓裡去。

波洛涅斯　那倒眞是風吹不著的地方。（旁白）他的回答有時候是多麼深刻！瘋狂的人往往能夠說出理智清明的人所說不出來的話。我要離開他，立刻就去想法子讓他跟我的女兒見面。——殿下，我要向您告別了。

哈姆萊特　先生，那是再好沒有的事，但願我也能夠向我的生命告別，但願我也能夠向我的生命告別，但願我也能夠向我的生命告別。

波洛涅斯　再會，殿下。（欲去。）

哈姆萊特　這些討厭的老傻瓜！

羅森格蘭茲及吉爾登斯吞重上。

波洛涅斯　你們要找哈姆萊特殿下，那兒就是。

羅森格蘭茲　上帝保佑您，大人！（波洛涅斯下。）

吉爾登斯吞　我的尊貴的殿下！

羅森格蘭茲　我的最親愛的殿下！

哈姆萊特　我的好朋友們！你好，吉爾登斯吞！啊，羅森格蘭茲！好孩子們，你們兩人都好？

羅森格蘭茲　不過像一般庸庸碌碌之輩，在這世上虛度時光而已。

吉爾登斯吞　無榮無辱便是我們的幸福；我們高不到命運女神帽子上的鈕扣。

哈姆萊特　也低不到她的鞋底嗎？

羅森格蘭茲　正是，殿下。

哈姆萊特　那麼你們是在她的腰上，或是在她的懷抱之中嗎？

吉爾登斯吞　說老實話，我們是在她的私處。

哈姆萊特　在命運身上秘密的那部分嗎？啊，對了，她本來是一個娼妓。你們聽到什麼消息沒有？

羅森格蘭茲　沒有，殿下，我們只知道這世界變得老實起來了。

哈姆萊特　那麼世界末日快到了；可是你們的消息是假的。讓我再仔細問問你們；我的好朋友們，你們在命運手裡犯了什麼案子，她把你們送到這兒牢獄裡來了？

吉爾登斯吞　牢獄，殿下！

哈姆萊特　丹麥是一所牢獄。

羅森格蘭茲　那麼世界也是一所牢獄。

哈姆萊特　一所很大的牢獄，裡面有許多監房、囚室、地牢；丹麥是其中最壞的一間。

羅森格蘭茲　我們倒不這樣想，殿下。

哈姆萊特　啊，那麼對於你們它並不是牢獄；因爲世上的事情本來沒有善惡，都是各人的思想把它們分別出來的；對於我它是一所牢獄。

羅森格蘭茲　啊，那是因爲您的雄心太大，丹麥是個狹小的地方，不夠給您發展，所以您把它看成一所牢獄啦。

哈姆萊特　上帝啊！倘不是因爲我總作惡夢，那麼即使把我關在一個果殼裡，我也會把自己當作一個擁有著無限空間的君王的。

吉爾登斯吞　那種惡夢便是您的野心；因為野心家本身的存在，也不過是一個夢的影子。

哈姆萊特　一個夢的本身便是一個影子。

羅森格蘭茲　不錯，因為野心是那麼空虛輕浮的東西，所以我認為它不過是影子的影子。

哈姆萊特　那麼我們的乞丐是實體，我們的帝王和大言不慚的英雄，卻是乞丐的影子了。我們進宮去好不好？因為我實在不能陪著你們談玄說理。

羅森格蘭茲
吉爾登斯吞　我們願意侍候殿下。

哈姆萊特　沒有的事，我不願把你們當作我的僕人一樣看待；老實對你們說吧，在我旁邊侍候我的人全很不成樣子。可是，憑著我們多年的交情，老實告訴我，你們到艾爾西諾來有什麼貴幹？

羅森格蘭茲　我們是來拜訪您來的，殿下；沒有別的原因。

哈姆萊特　像我這樣一個叫化子，我的感謝也是不值錢的，可是我謝謝你們；我想，親愛的朋友們，你們專誠而來，只換到我的一聲不值半文錢的感謝，未免太不值得了。不是有人叫你們來的嗎？果然是你們自己的意思嗎？真的是自動的訪問嗎？來，不要騙我。來，來，快說。

吉爾登斯吞　叫我們說些什麼話呢，殿下？

哈姆萊特　無論什麼話都行，只要不是廢話。你們是奉命而來的；瞧你們掩飾不了你們良心上的慚愧，已經從你們的臉色上招認出來了。我知道是我們這位好國王和好王后叫你們來的。

羅森格蘭茲　爲了什麼目的呢，殿下？

哈姆萊特　那可要請你們指教我了。可是憑著我們朋友間的道義，憑著我們少年時候親密的情誼，憑著我們始終不渝的友好的精神，憑著比我口才更好的人所能提出的其他一切更有力量的理由，讓我要求你們開誠佈公，告訴我究竟你們是不是奉命而來的？

羅森格蘭茲　（向吉爾登斯吞旁白）你怎麼說？

哈姆萊特　（旁白）好，那麼我看透你們的行動了。——要是你們愛我，別再抵賴了吧。

吉爾登斯吞　殿下，我們是奉命而來的。

哈姆萊特　讓我代你們說明來意，免得你們洩漏了自己的秘密，有負國王、王后的付託。我近來不知爲了什麼緣故，一點興致都提不起來，什麼遊樂的事都懶得過問；在這一種抑鬱的心境之下，彷彿負載萬物的大地，這一座美好的框架，只是一個不毛的荒岬；這個覆蓋衆生的蒼穹，這一頂壯麗的帳幕，這個金黃色的火球點綴著的莊嚴的屋宇，只是一大堆污濁的瘴氣的集合。人類是一件多麼了不得的傑作！多麼高貴的理性！多麼偉大的力量！多麼優美的儀表！多麼文雅的舉動！在行爲上多麼像一個天使！在智慧上多麼像一個天神！宇宙的精華！萬物的靈長！可是在我看來，這一個泥土塑成的生命算得了什麼？人類不能使我發生興趣；不，女人也不能使我發生興趣，雖然你現在的微笑之中，我可以看到你在這樣想。

羅森格蘭茲　殿下，我心裡並沒有這樣的思想。

哈姆萊特　那麼當我說「人類不能使我發生興趣」的時候，你爲什麼笑起來？

Hamlet. [*Aside,*] Nay, then, I have an eye of you.—If you love me, hold not off.
Guildenstern. My lord, we were sent for. *Act II. Scene II.*

哈 姆 萊 特：（旁白）好，那麼我看透你們的行動了。
——要是你們愛我，別再抵賴了吧。

吉爾登斯吞：殿下，我們是奉命而來的。

羅森格蘭茲 我想，殿下，要是人類不能使您發生興趣，那麼那班戲子們恐怕要來自討一場沒趣了；我們在路上趕過了他們，他們是要到這兒來向您獻技的。

哈姆萊特 扮演國王的那個人將要得到我的歡迎，我要在他的御座之前致獻我的敬禮；冒險的騎士可以揮舞他的劍盾；情人的嘆息不會沒有酬報；躁急易怒的角色可以平安下場，小丑將要使那班善笑的觀眾捧腹；我們的女主角可以坦白訴說她的心事，不用怕那無韻詩的句子脫去板眼。他們是一班什麼戲子？

羅森格蘭茲 就是您向來所喜歡的那一個班子，在城裡專演悲劇的。

哈姆萊特 他們怎麼走起江湖來了呢？固定在一個地方演戲，在名譽和進益上都要好得多哩。

羅森格蘭茲 我想他們不能在一個地方立足，是為了時勢的變化。

哈姆萊特 他們的名譽還是跟我在城裡那時候一樣嗎？他們的觀眾還是那麼多嗎？

羅森格蘭茲 不，他們現在已經大非昔比了。

哈姆萊特 怎麼會這樣呢？他們的演技退步了嗎？

羅森格蘭茲 不，他們還是跟從前一樣努力；可是，殿下，他們的地位已經被一群羽毛未豐的黃口小兒占奪了去。這些娃娃們的嘶叫博得了台下瘋狂的喝采，他們是目前流行的寵兒，他們的聲勢壓倒了所謂普通的戲班，以至於許多腰佩長劍的上流顧客，都因為懼怕批評家鵝毛管的威力，而不敢到那邊去。

哈姆萊特 什麼！是一些童伶嗎？誰維持他們的生活？他們的薪

工是怎麼計算的？他們一到不能唱歌的年齡，就不再繼續他們的本行了嗎？要是他們賺不了多少錢，長大起來多半還是要做普通戲子的，那時候難道他們不會抱怨寫戲詞的人把他們害了，因爲原先叫他們挖苦備至的不正是他們自己的未來前途嗎？

羅森格蘭茲　眞的，兩方面鬧過不少糾紛，全國的人都站在旁邊恬不爲意地吶喊助威，慫恿他們互相爭鬥。曾經有一個時期，一個腳本非得插進一段編劇家和演員爭吵的對話，不然是沒有人願意出錢購買的。

哈姆萊特　有這等事？

吉爾登斯吞　是啊，在那場交鋒裡，許多人都投入了大量的心血。

哈姆萊特　結果是娃娃們打贏了嗎？

羅森格蘭茲　正是，殿下；連赫剌克勒斯和他背負的地球都成了他們的戰利品①。

哈姆萊特　那也沒有什麼稀奇；我的叔父是丹麥的國王，那些當我父親在世的時候對他扮鬼臉的人，現在都願意拿出二十、四十、五十、一百塊金洋來買他的一幅小照。哼，這裡面有些不是常理可解的地方，要是哲學能夠把它推究出來的話。（內喇叭奏花腔。）

吉爾登斯吞　這班戲子們來了。

哈姆萊特　兩位先生，歡迎你們到艾爾西諾來。把你們的手給我；歡迎總要講究這些禮節、俗套；讓我不要對你們失

①赫剌克勒斯曾背負地球。莎士比亞劇團經常在環球劇院演出，那劇院即以赫剌克勒斯背負地球爲招牌。

禮，因為這些戲子們來了以後，我不能不敷衍他們一番，也許你們見了會發生誤會，以為我招待你們還不及招待他們殷勤。我歡迎你們；可是我的叔父父親和嬸母母親可弄錯啦。

吉爾登斯吞 弄錯了什麼，我的好殿下？

哈姆萊特 天上刮著西北風，我才發瘋；風從南方吹來的時候，我不會把一隻鷹當作了一隻鷺鷥。

波洛涅斯重上。

波洛涅斯 祝福你們，兩位先生！

哈姆萊特 聽著，吉爾登斯吞；你也聽著；一隻耳朵邊有一個人聽；你們看見的那個大孩子，還在襁褓之中，沒有學會走路哩。

羅森格蘭茲 也許他是第二次裹在襁褓裡，因為人家說，一個老年人是第二次做嬰孩。

哈姆萊特 我可以預言他是來報告我戲子們來到的消息的；聽好。——你說得不錯；在星期一早上；正是正是①。

波洛涅斯 殿下，我有消息要來向您報告。

哈姆萊特 大人，我也有消息要向您報告。當羅歇斯②在羅馬演戲的時候——

波洛涅斯 那班戲子們已經到這兒來了，殿下。

哈姆萊特 嗤，嗤！

波洛涅斯 憑著我的名譽起誓——

哈姆萊特 那時每一個伶人都騎著驢子而來——

---

①這句是故意說給波洛涅斯聽的，表示他正在專心和朋友談話。

②羅歇斯（Roscius），古羅馬著名伶人。

波洛涅斯 他們是全世界最好的伶人，無論悲劇、喜劇、歷史劇、田園劇、田園喜劇、田園史劇、歷史悲劇、歷史田園悲喜劇、場面不變的正宗戲或是擺脫拘束的新派戲，他們無不拿手；塞內加的悲劇不嫌其太沉重，普魯圖斯的喜劇不嫌其太輕浮①。無論在演出規律的或是自由的劇本方面，他們都是唯一的演員。

哈姆萊特 以色列的士師耶弗他②啊，你有一件怎樣的寶貝！

波洛涅斯 他有什麼寶貝，殿下？

哈姆萊特 嗨，

他有一個獨生嬌女，
愛她勝過掌上明珠。

波洛涅斯 （旁白）還在提我的女兒。

哈姆萊特 我念得對不對，耶弗他老頭兒？

波洛涅斯 要是您叫我耶弗他，殿下，那麼我有一個愛如掌珠的嬌女。

哈姆萊特 不，下面不是這樣的。

波洛涅斯 那麼應當是怎樣的呢，殿下？

哈姆萊特 嗨，

上天不佑，劫數臨頭。

下面你知道還有，

偏偏湊巧，誰也難保——

要知道全文，請查這支聖歌的第一節，因為，你瞧，有人來把我的話頭打斷了。

---

①二人均係古羅馬劇作家，前者寫悲劇，後者寫喜劇。

②耶弗他得上帝之助，擊敗敵人，乃以其女獻祭。事見《舊約・士師記》。

優伶四五人上。

哈姆萊特　歡迎，各位朋友，歡迎歡迎！——我很高興看見你這樣健康。——歡迎，各位。——啊，我的老朋友！你的臉上比我上次看見你的時候，多長了幾根鬍子，格外顯得威武啦；你是要到丹麥來向我挑戰嗎？啊，我的年輕的姑娘！憑著聖母起誓，您穿上了一雙高底木靴，比我上次看見您的時候更苗條得多啦；求求上帝，但願您的喉嚨不要沙嗄得像一面破碎的銅鑼才好！各位朋友，歡迎歡迎！我們要像法國的鷹師一樣，不管看見什麼就撒出鷹去；讓我們立刻就來念一段戲詞。來，試一試你們的本領，來一段激昂慷慨的劇詞。

伶甲　殿下要聽的是哪一段？

哈姆萊特　我曾經聽見你向我背誦過一段台詞，可是它從來沒有上演過；即使上演，也不會有一次以上，因爲我記得這本戲並不受大衆的歡迎。它是不合一般人口味的魚子醬；可是照我的意思看來，還有其他在這方面比我更有權威的人也抱著同樣的見解，它是一本絕妙的戲劇，場面支配得很是適當，文字質樸而富於技巧。我記得有人這樣說過：那齣戲裡沒有濫加提味的作料，字裡行間毫無矯揉造作的痕跡；他把它稱爲一種老老實實的寫法，兼有剛健與柔和之美，壯麗而不流於纖巧。其中有一段話是我最喜愛的，那就是埃涅阿斯對狄多講述的故事，尤其是講到普里阿摩斯被殺的那一節。要是你們還沒有把它忘記，請從這一行念起；讓我想想，讓我想想：——

野蠻的皮洛斯像猛虎一樣——

不，不是這樣；但是的確是從皮洛斯開始的：——

野蠻的皮洛斯蹲伏在木馬之中，
黝黑的手臂和他的決心一樣，
像黑夜一般陰森而恐怖；
在這黑暗猙獰的肌膚之上，
現在更染上令人驚怖的紋章，
從頭到腳，他全身一片殷紅，
濺滿了父母子女們無辜的血；
那些燃燒著熊熊烈火的街道，
發出殘忍而慘惡的凶光，
照亮敵人去肆行他們的殺戮，
也焙乾了到處橫流的血泊；
冒著火焰的熏炙，像惡魔一般，
全身膠黏著凝結的血塊，
圓睜著兩顆血紅的眼睛，
來往尋找普里阿摩斯老王的蹤跡。

你接下去吧。

波洛涅斯　上帝在上，殿下，您念得好極了，眞是抑揚頓挫，曲盡其妙。

伶甲　那老王正在苦戰，
但是砍不著和他對敵的希臘人；
一點不聽他手臂的指揮，
他的古老的劍鏘然落地；
皮洛斯瞧他孤弱可欺，
瘋狂似的向他猛力攻擊，
凶惡的利刃雖然沒有擊中，
一陣風卻把那衰弱的老王搧倒。

這一下打擊有如天崩地裂，
驚動了沒有感覺的伊利恩①，
冒著火焰的城樓霎時坍下，
那轟然的巨響像一個霹靂，
震聾了皮洛斯的耳朵；瞧！
他的劍還沒砍下普里阿摩斯
白髮的頭顱，卻已在空中停住；
像一個塗朱抹彩的暴君，
對自己的行爲漠不關心，
他兀立不動。
在一場暴風雨未來以前，
天上往往有片刻的寧寂，
一塊塊烏雲靜懸在空中，
狂風悄悄地收起它的聲息，
死樣的沉默籠罩整個大地；
可是就在這片刻之內，
可怕的雷鳴震裂了天空。
經過暫時的休止，殺人的暴念
重新激起了皮洛斯的精神；
庫克羅普斯②爲戰神鑄造甲冑，
那巨力的錘擊，還不及皮洛斯
流血的劍向普里阿摩斯身上劈下
那樣凶狠無情。

---

①伊利恩（Ilium），特洛亞之別名。
②庫克羅普斯（Cyclops），希臘神話中一族獨眼巨人，是大匠神赫准斯托斯的助手。

去，去，你娼婦一樣的命運！
天上的諸神啊！剝去她的權力，
不要讓她僭竊神明的寶座；
折毀她的車輪，把它滾下神山，
直到地獄的深淵。

波洛涅斯　這一段太長啦。

哈姆萊特　它應當跟你的鬍子一起到理髮匠那兒去薙一薙。念下去吧。他只愛聽俚俗的歌曲和淫穢的故事，否則他就要瞌睡的。念下去；下面要講到赫卡柏了。

伶甲　可是啊！誰看見那蒙臉的王后——

哈姆萊特　「那蒙臉的王后」？

波洛涅斯　那很好，「蒙臉的王后」是很好的句子。

伶甲

滿面流淚，在火焰中赤腳奔走，
一塊布覆在失去寶冕的頭上，
也沒有一件蔽體的衣服，
只有在驚惶中抓到的一幅氈巾，
裹住她瘦削而多產的腰身；
誰見了這樣傷心慘目的景象，
不要向殘酷的命運申申毒詈？
她看見皮洛斯以殺人為戲，
正在把她丈夫的肢體臠割，
忍不住大放哀聲，那淒涼的號叫——
除非人間哀樂不能感動天庭——
即使天上的星星也會陪她流淚，
假使那時諸神曾在場目擊，
他們的心中都要充滿悲憤。

波洛涅斯　瞧，他的臉色都變了，他的眼睛裡已經含著眼淚？不要念下去了吧。

哈姆萊特　很好，其餘的部分等會兒再念給我聽吧。大人，請您去找一處好的地方安頓這一班伶人。聽著，他們是不可怠慢的，因爲他們是這一個時代的縮影；寧可在死後得到一首惡劣的墓銘，不要在生前受他們一場刻毒的譏諷。

波洛涅斯　殿下，我按著他們應得的名分對待他們就是了。

哈姆萊特　噯喲，朋友，還要客氣得多哩！要是照每一個人應得的名分對待他，那麼誰逃得了一頓鞭子？照你自己的名譽地位對待他們；他們越是不配受這樣的待遇，越可以顯出你的謙虛有禮。領他們進去。

波洛涅斯　來約各位朋友。

哈姆萊特　跟他去，朋友們；明天我們要聽你們唱一本戲。（波洛涅斯偕衆伶下，伶甲獨留）聽著，老朋友，你會演「貢扎古之死」嗎？

伶甲　會演的，殿下。

哈姆萊特　那麼我們明天晚上就把它上演。也許我爲了必要的理由，要另外寫下約莫十幾行句子的一段劇詞插進去，你能夠把它預先背熟嗎？

伶甲　可以，殿下。

哈姆萊特　很好。跟著那位老爺去；留心不要取笑他。（伶甲下。向羅森格蘭茲、吉爾登斯吞）我的兩位好朋友，我們今天晚上再見；歡迎你們到艾爾西諾來！

吉爾登斯吞　再會，殿下！（羅森格蘭茲、吉爾登斯吞同下。）

哈姆萊特　好，上帝和你們同在！現在我只剩下一個人了。啊，我是一個多麼不中用的蠢才！這一個伶人不過在一本虛構

哈姆萊特：聽著，老朋友，你會演「貢扎古之死」嗎？
伶　　甲：會演的，殿下。

的故事、一場激昂的幻夢之中，卻能夠使他的靈魂融化在他的意象裡，在它的影響之下，他的整個的臉色變成慘白，他的眼中洋溢著熱淚，他的神情流露著倉惶，他的聲音是這麼嗚咽淒涼，他的全部動作都表現得和他的意象一致，這不是極其不可思議的嗎？而且一點也不為了什麼！為了赫卡柏！赫卡柏對他有什麼相干，他對赫卡柏又有什麼相干，他卻要為她流淚？要是他也有了像我所有的那樣使人痛心的理由，他將要怎樣呢？他一定會讓眼淚淹沒了舞台，用可怖的字句震裂了聽衆的耳朵，使有罪的人發狂，使無罪的人驚駭，使愚昧無知的人驚惶失措，使所有的耳目迷亂了它們的功能。可是我，一個糊塗顢頇的傢伙，垂頭喪氣，一天到晚像在做夢似的，忘記了殺父的大仇；雖然一個國王給人家用萬惡的手段掠奪了他的權位，殺害了他的最寶貴的生命，我卻始終哼不出一句話來。我是一個懦夫嗎？誰罵我惡人？誰敲破我的腦殼？誰拔去我的鬍子，把它吹在我的臉上？誰扭我的鼻子？誰當面指斥我胡說？誰對我做這種事？嘿！我應該忍受這樣的侮辱，因爲我是一個沒有心肝、逆來順受的怯漢，否則我早已用這奴才的屍肉，餵肥了滿天盤旋的烏鳶了。嗜血的、荒淫的惡賊！狠心的、奸詐的、淫邪的、悖逆的惡賊！啊！復仇！——嗨，我眞是個蠢才！我的親愛的父親被人謀殺了，鬼神都在鞭策我復仇，我這做兒子的卻像一個下流女人似的，只會用空言發發牢騷，學起潑婦罵街的樣子來，在我已經是了不得的了！呸！呸！活動起來吧，我的腦筋！我聽人家說，犯罪的人在看戲的時候，因爲台上表演的巧妙，有時會激動天良，當場供認他們的罪惡；因爲暗殺的事情無論幹得怎樣秘密，總會借著神奇的喉舌洩露出來。我要叫這班伶人在我的叔父面前表演一本跟我的父親的慘死情節相仿的戲劇，我就在一旁窺察他的神色；我要探視到他的靈魂的深處，要是他稍露驚駭不安之態，我就知道我應該怎麼辦。我所看見的幽靈也許是魔鬼的化身，借著一個美好的形狀出現，魔鬼是有這一種本領的；對於柔弱和憂鬱的靈魂，他最容易發揮他的力量；也許他看準了我的柔弱和憂鬱，才來向我作祟，要把我引誘到沉淪的路上。我要先得到一些比這更切實的證據；憑著這一本戲，我可以發掘國王內心的隱秘。（下。）

第 三 幕

第一場　城堡中一室

國王、王后、波洛涅斯、奧菲利婭、羅森格蘭茲及吉爾登斯吞上。

國王　你們不能用迂迴婉轉的方法，探出他為什麼這樣神魂顛倒，讓紊亂而危險的瘋狂困擾他的安靜的生活嗎？

羅森格蘭茲　他承認他自己有些神經迷惘，可是絕口不肯說為了什麼緣故。

吉爾登斯吞　他也不肯虛心接受我們的探問；當我們想要引導他吐露他自己的一些眞相的時候，他總是用假作痴呆的神氣故意迴避。

王后　他對待你們還客氣嗎？

羅森格蘭茲　很有禮貌。

吉爾登斯吞　可是不大自然。

羅林格蘭茲　他很吝惜自己的話，可是我們問他話的時候，他回答起來卻是毫無拘束。

王后　你們有沒有勸誘他找些什麼消遣？

羅森格蘭茲　娘娘，我們來的時候，剛巧有一班戲子也要到這兒來，給我們趕過了；我們把這消息告訴了他，他聽了好像

King. And can you, by no drift of circumstance,
Get from him why he puts on this confusion?
Act III. Scene I.

國王：你們不能用迂迴婉轉的方法，探出他爲什麼這樣神魂顛倒，讓紊亂而危險的瘋狂困擾他的安靜的生活嗎？

很高興。現在他們已經到了宮裡，我想他已經吩咐他們今晚爲他演出了。

波洛涅斯　一點不錯；他還叫我來請兩位陛下同去看看他們演得怎樣哩。

國王　那好極了；我非常高興聽見他在這方面感到興趣。請你們兩位還要更進一步鼓起他的興味，把他的心思移轉到這種娛樂上面。

羅森格蘭茲　是，陛下。（羅森格蘭茲、吉爾登斯呑同下。）

國王　親愛的喬特魯德，你也暫時離開我們；因爲我們已經暗中差人去喚哈姆萊特到這兒來，讓他和奧菲利婭見見面，就像他們偶然相遇一般。她的父親跟我兩人將要權充一下密探，躲在可以看見他們，卻不能被他們看見的地方，注意他們會面的情形，從他的行爲上判斷他的瘋病究竟是不是因爲戀愛上的苦悶。

王后　我願意服從您的意旨。奧菲利婭，但願你的美貌果然是哈姆萊特瘋狂的原因；更願你的美德能夠幫助他恢復原狀，使你們兩人都能安享尊榮。

奧菲利婭　娘娘，但願如此。（王后下。）

波洛涅斯　奧菲利婭，你在這兒走走。陛下，我們就去躲起來吧。（向奧菲利婭）你拿這本書去讀，他看見你這樣用功，就不會疑心你爲什麼一個人在這兒了。人們往往用至誠的外表和虔敬的行動，掩飾一顆魔鬼般的內心，這樣的例子是太多了。

國王　（旁白）啊，這句話是太眞實了！它在我的良心上抽了多麼重的一鞭！塗脂抹粉的娼婦的臉，還不及掩藏在虛僞的言辭後面的我的行爲醜惡。難堪的重負啊！

波洛涅斯 我聽見他來了；我們退下去吧，陛下。（國王及波洛涅斯下。）

哈姆萊特上。

哈姆萊特 生存還是毀滅，這是一個值得考慮的問題；默默忍受命運的暴虐的毒箭，或是挺身反抗人們的無涯的苦難，通過掙扎把它們掃清，這兩種行為，哪一種更高貴？死了；睡著了；什麼都完了；要是在這一種睡眠之中，我們心頭的創痛，以及其他無數血肉之軀所不能避免的打擊，都可以從此消失，那正是我們求之不得的結局。死了；睡著了；睡著了也許還會做夢；嗯，阻礙就在這兒：因為當我們擺脫了這一具朽腐的皮囊以後，在那死的睡眠裡，究竟將要做些什麼夢，那不能不使我們躊躇顧慮。人們甘心久困於患難之中，也就是為了這個緣故；誰願意忍受人世的鞭撻和譏嘲、壓迫者的凌辱、傲慢者的冷眼、被輕蔑的愛情的慘痛、法律的遷延、官吏的橫暴和費盡辛勤所換來的小人的鄙視，要是他只要用一柄小小的刀子，就可以清算他自己的一生？誰願意負著這樣的重擔，在煩勞的生命的壓迫下呻吟流汗，倘不是因為懼怕不可知的死後，懼怕那從來不曾有一個旅人回來過的神秘之國，是它迷惑了我們的意志，使我們寧願忍受目前的磨折，不敢向我們所不知道的痛苦飛去？這樣，重重的顧慮使我們全變成了懦夫，決心的赤熱的光彩，被審慎的思維蓋上了一層灰色，偉大的事業在這一種考慮之下，也會逆流而退，失去了行動的意義。且慢！美麗的奧菲利婭！——女神，在你的祈禱之中，不要忘記替我懺悔我的罪孽。

奧菲利婭 我的好殿下，您這許多天來貴體安好嗎？

哈姆萊特　謝謝你，很好，很好，很好。

奥菲利婭　殿下，我有幾件您送給我的紀念品，我早就想把它們還給您；請您現在收回去吧。

哈姆萊特　不，我不要，我從來沒有給你什麼東西。

奥菲利婭　殿下，我記得很清楚您把它們送給了我，那時候您還向我說了許多甜言蜜語，使這些東西格外顯得貴重；現在它們的芳香已經消散，請您拿回去吧，因爲在有骨氣的人看來，送禮的人要是變了心，禮物雖貴，也會失去了價值。拿去吧，殿下。

哈姆萊特　哈哈！你貞潔嗎？

奥菲利婭　殿下！

哈姆萊特　你美麗嗎？

奥菲利婭　殿下是什麼意思？

哈姆萊特　要是你旣貞潔又美麗，那麼你的貞潔應該斷絕跟你的美麗來往。

奥菲利婭　殿下，難道美麗除了貞潔以外，還有什麼更好的伴侶嗎？

哈姆萊特　嗯，眞的；因爲美麗可以使貞潔變成淫蕩，貞潔卻未必能使美麗受它自己的感化；這句話從前像是怪誕之談，可是現在時間已經把它證實了。我的確曾經愛過你。

奥菲利婭　眞的，殿下，您曾經使我相信您愛我。

哈姆萊特　你當初就不應該相信我，因爲美德不能薰陶我們罪惡的本性；我沒有愛過你。

奥菲利婭　那麼我眞是受了騙了。

哈姆萊特　進尼姑庵去吧；爲什麼你要生一群罪人出來呢？我自己還不算是一個頂壞的人；可是我可以指出我的許多過

Hamlet. I did love you once.
Ophelia. Indeed, my lord, you made me believe so.
Hamlet. You should not have believed me.
Act III. Scene I.

哈姆萊特：我的確曾經愛過你。
奧菲利婭：眞的，殿下，您曾經使我相信您愛我。

失，一個人有了那些過失，他的母親還是不要生下他來的好。我很驕傲，有仇必報，富於野心，我的罪惡是那麼多，連我的思想也容納不下，我的想像也不能給它們形象，甚至於我都沒有充分的時間可以把它們實行出來。像我這樣的傢伙，匍匐於天地之間，有什麼用處呢？我們都是些十足的壞人；一個也不要相信我們。進尼姑庵去吧。你的父親呢？

奧菲利婭　在家裡，殿下。

哈姆萊特　把他關起來，讓他只好在家裡發發傻勁。再會！

奧菲利婭　噯喲，天哪！救救他！

哈姆萊特　要是你一定要嫁人，我就把這一個咒詛送給你做嫁奩：盡管你像冰一樣堅貞，像雪一樣純潔，你還是逃不過讒人的誹謗。進尼姑庵去吧，去；再會！或者要是你必須嫁人的話，就嫁給一個傻瓜吧；因爲聰明人都明白你們會叫他們變成怎樣的怪物。進尼姑庵去吧，去；越快越好。再會！

奧菲利婭　天上的神明啊，讓他清醒過來吧！

哈姆萊特　我也知道你們會怎樣塗脂抹粉；上帝給了你們一張臉，你們又替自己另外造了一張。你們煙視媚行，淫聲浪氣，替上帝造下的生物亂取名字，賣弄你們不懂事的風騷。算了吧，我再也不敢領教了；它已經使我發了狂。我說，我們以後再不要結什麼婚了；已經結過婚的，除了一個人以外，都可以讓他們活下去；沒有結婚的不准再結婚，進尼姑庵去吧，去。（下。）

奧菲利婭　啊，一顆多麼高貴的心是這樣殞落了！朝臣的眼睛、學者的辯舌、軍人的利劍、國家所矚望的一朵嬌花；時流的明鏡、人倫的雅範、舉世注目的中心，這樣無可挽回地殞落了！我是一切婦女中間最傷心而不幸的，我曾經從他音樂一般的盟誓中吮吸芬芳的甘蜜，現在卻眼看著他的高貴無上的理智，像一串美妙的銀鈴失去了諧和的音調，無比的青春美貌，在瘋狂中凋謝！啊！我好苦，誰料過去的繁華，變作今朝的泥土！

國王及波洛涅斯重上。

國王 戀愛！他的精神錯亂不像是為了戀愛；他說的話雖然有些顛倒，也不像是瘋狂。他有些什麼心事盤據在他的靈魂裡，我怕它也許會產生危險的結果。為了防止萬一，我已經當機立斷，決定了一個辦法：他必須立刻到英國去，向他們追索延宕未納的貢物；也許他到海外各國遊歷一趟以後，時時變換的環境，可以替他排解去這一樁使他神思恍惚的心事。你看怎麼樣？

波洛涅斯 那很好；可是我相信他的煩悶的根本原因，還是為了戀愛上的失意。啊，奧菲利婭！你不用告訴我們哈姆萊特殿下說了些什麼話；我們全都聽見了。陛下，照您的意思辦吧；可是您要是認為可以的話，不妨在戲劇終場以後，讓他的母后獨自一人跟他在一起，懇求他向她吐露他的心事；她必須很坦白地跟他談談，我就找一個所在聽他們說些什麼。要是她也探聽不出他的秘密來，您就叫他到英國去，或者憑著您的高見，把他關禁在一個適當的地方。

國王 就這樣吧；大人物的瘋狂是不能聽其自然的。（同下。）

哈姆萊特：請你念這段劇詞的時候，要照我剛才讀給你聽的那樣子。

第二場　城堡中的廳堂

哈姆萊特及若干伶人上。

哈姆萊特　請你念這段劇詞的時候，要照我剛才讀給你聽的那樣子，一個字一個字打舌頭上很輕快地吐出來；要是你也像多數的伶人們一樣，只會拉開了喉嚨嘶叫，那麼我寧願叫那宣布告示的公差念我這幾行詞句。也不要老是把你的手在空中搖揮；一切動作都要溫文，因為就是在洪水暴風一樣的感情激發之中，你也必須取得一種節制，免得流於過火。啊！我頂不願意聽見一個披著滿頭假髮的傢伙在臺上亂嚷亂叫，把一段感情片片撕碎，讓那些只愛熱鬧的低級觀衆聽了出神，他們中間的大部分是除了欣賞一些莫名其妙的手勢以外，什麼都不懂。我可以把這種傢伙抓起來抽一頓鞭子，因爲他把妥瑪剛特形容過分，希律王的兇暴也要對他甘拜下風①。請你留心避免才好。

伶甲　我留心著就是了，殿下。

哈姆萊特　可是太平淡了也不對，你應該接受你自己的常識的指導，把動作和言語互相配合起來；特別要注意到這一點，你不能越過自然的常道；因爲任何過分的表現都是和演劇的原意相反的，自有戲劇以來，它的目的始終是反映自然，顯示善惡的本來面目，給它的時代看一看它自己演變發展的模型。要是表演得過分了或者太懈怠了，雖然可以博外行的觀衆一笑，明眼之士卻要因此而皺眉；你必須看重這樣一個卓識者的批評甚於滿場觀衆盲目的毀譽。啊！我曾經看見有幾個伶人演戲，而且也聽見有人把他們極口捧場，說一句比喻不倫的話，他們既不說基督徒的語言，又不會學著基督徒、異教徒或者一般人的樣子走路，瞧他們在臺上大搖大擺，使勁叫喊的樣子，我心裡就想一定是什麼造化的雇工把他們造了下來；造得這樣拙劣，以至於全然失去了人類的面目。

伶甲　我希望我們在這方面已經有了相當的糾正了。

哈姆萊特　啊！你們必須徹底糾正這一種弊病。還有你們那些扮演小丑的，除了劇本上專爲他們寫下的臺詞以外，不要讓

①妥瑪剛特是基督徒假想的伊斯蘭教神祇，希律是耶穌誕生時的猶太暴君，二者均爲英國舊日的宗教劇中常見之角色。

他們臨時編造一些話加上去。往往有許多小丑愛用自己的笑聲，引起臺下一些無知的觀衆的哄笑，雖然那時候全場的注意力應當集中於其他更重要的問題上；這種行爲是不可恕的，它表示出那丑角的可鄙的野心。去，準備起來吧。（伶人等同下。）

波洛涅斯、羅森格蘭茲及吉爾登斯吞上。

哈姆萊特　啊，大人，王上願意來聽這一本戲嗎？

波洛涅斯　他跟娘娘就要來了。

哈姆萊特　叫那些戲子們趕緊點兒。（波洛涅斯下）你們兩人也去幫著催催他們。

羅森格蘭茲
吉爾登斯吞　是，殿下。（羅森格蘭茲、吉爾登斯吞下。）

哈姆萊特　喂！霍拉旭！

霍拉旭上。

霍拉旭　是，殿下。

哈姆萊特　霍拉旭，你是我所交接的人們中間最正直的一個人。

霍拉旭　啊，殿下！——

哈姆萊特　不，不要以爲我在恭維你；你除了你的善良的精神以外，身無長物，我恭維了你又有什麼好處呢？爲什麼要向窮人恭維？不，讓蜜糖一樣的嘴唇去吮舐愚妄的榮華，在有利可圖的所在屈下他們生財有道的膝蓋來吧。聽著。自從我能夠辨別是非、察擇賢愚以後，你就是我靈魂裡選中的一個人，因爲你雖然經歷一切的顛沛，卻不曾受到一點傷害，命運的虐待和恩寵，你都是受之泰然；能夠把感情和理智調整得那麼適當，命運不能把他玩弄於指掌之間，那樣的人是有福的。給我一個不爲感情所奴役的人，我願意把他珍藏在我的心坎，我的靈魂的深處，正像我對你一樣。這些話現在也不必多說了。今晚我們要在國王面前演一齣戲，其中有一場的情節跟我告訴過你的我的父親的死狀頗相彷彿；當那幕戲正在串演的時候，我要請你集中你的全副精神，注視我的叔父，要是他在聽到了那一段戲詞以後，他的隱藏的罪惡還是不露出一絲痕跡來，那麼我們所看見的那個鬼魂一定是個惡魔，我的幻想也就像鐵匠的砧石那樣黑漆一團了。留心看他；我也要把我的眼睛看定他的臉上；過後我們再把各人觀察的結果綜合起來，給他下一個判斷。

霍拉旭　很好，殿下；在演這齣戲的時候，要是他在容色舉止之間，有什麼地方逃過了我們的注意，請您唯我是問。

哈姆萊特　他們來看戲了；我必須裝出一副糊塗樣子。你去揀一個地方坐下。

奏丹麥進行曲，喇叭奏花腔。國王、王后、波洛涅斯、奧菲利婭、羅森格蘭茲、吉爾登斯吞及餘人等上。

國王　你過得好嗎，哈姆萊特賢侄？

哈姆萊特　很好，好極了；我過的是變色蜥蜴的生活，整天吃空氣，肚子讓甜言蜜語塞滿了；這可不是你們塡鴨子的辦法。

國王　你這種話眞是答非所問， 哈姆萊特；我不是那個意思。

哈姆萊特　不，我現在也沒有那個意思。（向波洛涅斯）大人，您說您在大學裡念書的時候，曾經演過一回戲嗎？

波洛涅斯　是的，殿下，他們都稱贊我是一個很好的演員裡。

哈姆萊特　您扮演什麼角色呢？

波洛涅斯　我扮的是裘力斯·凱撒；勃魯托斯在朱庇特神殿裡把

我殺死。

哈姆萊特　他在神殿裡殺死了那麼好的一頭小牛，眞太殘忍了。那班戲子已經預備好了嗎？

羅森格蘭兹　是，殿下，他們在等候您的旨意。

王后　過來，我的好哈姆萊特，坐在我的旁邊。

哈姆萊特　不，好媽媽，這兒有一個更迷人的東西哩。

波洛涅斯　（向國王）啊哈！您看見嗎？

哈姆萊特　小姐，我可以睡在您的懷裡嗎？

奧菲利婭　不，殿下。

哈姆萊特　我的意思是說，我可以把我的頭枕在您的膝上嗎？

奧菲利婭　嗯，殿下。

哈姆萊特　您以爲我在轉著下流的念頭嗎？

奧菲利婭　我沒有想到，殿下。

哈姆萊特　睡在姑娘大腿的中間，想起來倒是很有趣的。

奧菲利婭　什麼，殿下？

哈姆萊特　沒有什麼。

奧菲利婭　您在開玩笑哩，殿下。

哈姆萊特　誰，我嗎？

奧菲利婭　嗯，殿下。

哈姆萊特　上帝啊！要說玩笑，那就得屬我了。一個人爲什麼不說說笑笑呢？您瞧，我的母親多麼高興，我的父親還不過死了兩個鐘頭。

奧菲利婭　不，已經四個月了，殿下。

哈姆萊特　這麼久了嗎？噯喲，那麼讓魔鬼去穿孝服吧，我可要去做一身貂皮的新衣啦。天啊！死了兩個月，還沒有把他忘記嗎？那麼也許一個大人物死了以後，他的記憶還可以保持半年之久；可是憑著聖母起誓，他必須造下幾所教堂，否則他就要跟那被遺棄的木馬一樣，沒有人再會想念他了。

高音笛奏樂。啞劇登場。

一國王及一王后上，狀極親熱，互相擁抱。后跪地，向王作宣誓狀，王扶后起，俯首后頸上。王就花坪上睡下；后見王睡熟離去。另一人上，自王頭上去冠，吻冠，注毒藥於王耳，下。后重上，見王死，作哀慟狀。下毒者率其他二、三人重上，佯作陪后悲哭狀。從者舁王屍下。下毒者以禮物贈后，向其乞愛，后先作憎惡不願狀，卒允其請。同下。

奧菲利婭　這是什麼意思，殿下？

哈姆萊特　呃，這是陰謀詭計、不幹好事的意思。

奧菲利婭　大概這一場啞劇就是全劇的本事了。

致開場詞者上。

哈姆萊特　這傢伙可以告訴我們一切；演戲的都不能保守秘密，他們什麼話都會說出來。

奧菲利婭　他也會給我們解釋方才那場啞劇有什麼奧妙嗎？

哈姆萊特　是啊；這還不算，只要你做給他看什麼，他也能給你解釋什麼；只要你做出來不害臊，他解釋起來也決不害臊。

奧菲利婭　殿下眞是淘氣，眞是淘氣。我還是看戲吧。

開　場　詞

這悲劇要是演不好，
要請各位原諒指教，
小的在這廂有禮了。（致開場詞者下。）

哈姆萊特　這算開場詞呢，還是指環上的詩銘？

奧菲利婭　它很短，殿下。

哈姆萊特　正像女人的愛情一樣。

二伶人扮國王、王后上。

伶王

日輪已經盤繞三十春秋，
那茫茫海水和滾滾地球，
月亮吐耀著借來的晶光，
三百六十回向大地環航，
自從愛把我們締結良姻，
許門替我們證下了鴛盟。

伶后

願日月繼續他們的周遊，
讓我們再廝守三十春秋！
可是唉，你近來這樣多病，
鬱鬱寡歡，失去舊時高興，
好教我滿心裡為你憂懼。
可是，我的主，你不必疑慮；
女人的憂傷像愛情一樣，
不是太少，就是超過分量；
你知道我愛你是多麼深，
所以才會有如此的憂心。
越是相愛，越是掛肚牽胸；
不這樣哪顯得你我情濃？

伶王

愛人，我不久必須離開你，

我的全身將要失去生機；
留下你在這繁華的世界
安享尊榮，受人們的敬愛；
也許再嫁一位如意郎君——

伶后

啊！我斷不是那樣薄情人；
我倘忘舊迎新，難邀天恕，
再嫁的除非是殺夫淫婦。

哈姆萊特　（旁白）苦惱，苦惱！

伶后

婦人失節大半貪慕榮華，
多情女子決不另抱琵琶，
我要是與他人共枕同衾，
怎麼對得起地下的先靈！

伶王

我相信你的話發自心田，
可是我們往往自食前言。
志願不過是記憶的奴隸，
總是有始無終，虎頭蛇尾，
像未熟的果子密布樹梢，
一朝紅爛就會離去枝條。
我們對自己所負的債務，
最好把它丟在腦後不顧；
一時的熱情中發下誓願，
心冷了，那意志也隨雲散。
過分的喜樂，劇烈的哀傷，

反會毀害了感情的本常。
人世間的哀樂變幻無端，
痛哭轉瞬早變成了狂歡。
世界也會有毀滅的一天，
何怪愛情要隨境遇變遷；
有誰能解答這一個啞謎，
是境由愛造？是愛逐境移？
失財勢的偉人舉目無親；
走時運的窮酸仇敵逢迎。
這炎涼的世態古今一轍：
富有的門庭擠滿了賓客；
要是你在窮途向人求助，
即使知交也要情同陌路。
把我們的談話拉回本題，
意志命運往往背道而馳，
決心到最後會全部推倒，
事實的結果總難符預料。
你以爲你自己不會再嫁，
只怕我一死你就要變卦。

伶后

地不要養我，天不要亮我！
晝不得遊樂，夜不得安臥！
毀滅了我的希望和信心；
鐵鎖囚門把我監禁終身！
每一種惱人的飛來橫逆，
把我一重重的心願摧折！

我倘死了丈夫再作新人，
讓我生前死後永陷沉淪！

哈姆萊特　要是她現在背了誓！

伶王

難爲你發這樣重的誓願。
愛人，你且去；我神思昏倦，
想要小睡片刻。（睡。）

伶后

願你安睡；
上天保佑我倆永無災悔！（下。）

哈姆萊特　母親，您覺得這齣戲怎樣？

王后　我覺得那女人在表白心跡的時候，說話過火了一些。

哈姆萊特　啊，可是她會守約的。

國王　這本戲是怎麼一個情節？裡面沒有什麼要不得的地方嗎？

哈姆萊特　不，不，他們不過開玩笑毒死了一個人；沒有什麼要不得的。

國王　戲名叫什麼？

哈姆萊特　「捕鼠機」。呃，怎麼？這是一個象徵的名字。戲中的故事影射著維也納的一件謀殺案。貢扎古是那公爵的名字；他的妻子叫做白普蒂絲妲。您看下去就知道是怎麼一回事啦。這是個很惡劣的作品，可是那有什麼關係？它不會對您陛下跟我們這些靈魂清白的人有什麼相干；讓那有毛病的馬兒去驚跳退縮吧，我們的肩背都是好好的。

一伶人扮琉西安納斯上。

哈姆萊特　這個人叫做琉西安納斯，是那國王的侄子。

奧菲利婭　您很會解釋劇情，殿下。

哈姆萊特　要是我看見傀儡戲搬演您跟您愛人的故事，我也會替你們解釋的。

奧菲利婭　您的嘴眞厲害，殿下，您的嘴眞厲害。

哈姆萊特　我要是眞厲害起來，你非得哼哼不可。

奧菲利婭　說好就好，說糟就糟。

哈姆萊特　女人嫁丈夫也是一樣。動手吧，兇手！混賬東西，別扮鬼臉了，動手吧！來；哇哇的烏鴉發出復仇的啼聲。

琉西安納斯

黑心快手，遇到妙藥良機；
趁著沒人看見事不宜遲。
你夜半採來的毒草煉成，
赫卡忒的咒語念上三巡，
趕快發揮你兇惡的魔力，
讓他的生命速歸於幻滅。（以毒藥注入睡者耳中。）

哈姆萊特　他爲了覬覦權位，在花園裡把他毒死。他的名字叫貢扎古；那故事原文還存在，是用很好的義大利文寫成的。底下就要做到那兇手怎樣得到貢扎古的妻子的愛了。

奧菲利婭　王上站起來了！

哈姆萊特　什麼！給一響空槍嚇怕了嗎？

王后　陛下怎麼樣啦？

波洛涅斯　不要演下去了！

國王　給我點起火把來！去！

眾人　火把！火把！火把！（除哈姆萊特、霍拉旭外均下。）

哈姆萊特　嗨，讓那中箭的母鹿掉淚，
沒有傷的公鹿自去遊玩；
有的人失眠，有的人酣睡，

Hamlet. You shall see anon how the murderer gets the love of Gonzago's wife.
Ophelia. The King rises. *Act III. Scene II.*

哈姆萊特：底下就要做到那兇手怎樣得到貢扎古的妻子的愛了。

奧菲利婭：王上站起來了！

世界就是這樣循環輪轉。

老兄，要是我的命運跟我作起對來，憑著我這念詞的本領，頭上插上滿頭的羽毛，開縫的靴子上再綴上兩朵絹花，你想我能不能在戲班子裡插足？

霍拉旭　也許他們可以讓您領半額包銀。

哈姆萊特　我可要領全額的。

因爲你知道，親愛的朋友，

這是一個荒涼破碎的國土

原本是喬武統治的雄邦，

而今王位上卻坐著——孔雀。

霍拉旭　您該押韻才是。

哈姆萊特　啊，好霍拉旭！那鬼魂眞的沒有騙我。你看見嗎？

霍拉旭　看見的，殿下。

哈姆萊特　在那演戲的一提到毒藥的時候？

霍拉旭　我看得他很清楚。

哈姆萊特　啊哈！來，奏樂！來，那吹笛子的呢？

要是國王不愛這齣喜劇，

那麼他多半是不能賞識。

來，奏樂！

羅森格蘭茲及吉爾登斯吞重上。

吉爾登斯吞　殿下，允許我跟您說句話。

哈姆萊特　好，你對我講全部歷史都可以。

吉爾登斯吞　殿下，王上——

哈姆萊特　嗯，王上怎麼樣？

吉爾登斯吞　他回去以後，非常不舒服。

哈姆萊特　喝醉了嗎？

吉爾登斯吞　不；殿下，他在發脾氣。

哈姆萊特　你應該把這件事告訴他的醫生，才算你的聰明；因為叫我去替他診視，恐怕反而更會激動他的脾氣的。

吉爾登斯吞　好殿下，請您說話檢點些，別這樣拉扯開去。

哈姆萊特　好，我是聽話的，你說吧。

吉爾登斯吞　您的母后心裡很難過，所以叫我來。

哈姆萊特　歡迎得很。

吉爾登斯吞　不，殿下，這一種禮貌是用不著的。要是您願意給我一個好好的回答：我就把您母親的意旨向您傳達；不然的話，請您原諒我，讓我就這麼回去，我的事情就算完了。

哈姆萊特　我不能。

吉爾登斯吞　您不能什麼，殿下？

哈姆萊特　我不能給你一個好好的回答，因為我的腦子已經壞了；可是我所能夠給你的回答，你——我應該說我的母親——可以要多少有多少。所以別說廢話，言歸正傳吧；你說我的母親——

羅森格蘭茲　她這樣說，您的行為使她非常吃驚。

哈姆萊特　啊，好兒子，居然會叫一個母親吃驚！可是在這母親的吃驚的後面，還有些什麼話呢？說吧。

羅森格蘭茲　她請您在就寢以前，到她房間裡去跟她談談。

哈姆萊特　即使她十次是我的母親，我也一定服從她。你還有什麼別的事情？

羅森格蘭茲　殿下，我曾經蒙您錯愛。

哈姆萊特　憑著我這雙扒手起誓，我現在還是歡喜你的。

羅森格蘭茲　好殿下，您心裡這樣不痛快，究竟為了什麼原因？

要是您不肯把您的心事告訴您的朋友，那恐怕會害您自己失去自由。

哈姆萊特　我不滿足我現在的地位。

羅森格蘭茲　怎麼！王上自己已經親口把您立爲王位的繼承者了，您還不能滿足嗎？

哈姆萊特　嗯，可是「要等草兒青青——」①這句老話也有點兒發了霉啦。

樂工等持笛上。

哈姆萊特　啊！笛子來了；拿一支給我。跟你們退後一步說話；爲什麼你們總這樣千方百計地繞到我下風的一面，好像一定要把我逼進你們的圈套？

吉爾登斯吞　啊！殿下，要是我有太冒昧放肆的地方，那都是因爲我對於您敬愛太深的緣故。

哈姆萊特　我不大懂得你的話。你願意吹吹這笛子嗎？

吉爾登斯吞　殿下，我不會吹。

哈姆萊特　請你吹一吹。

吉爾登斯吞　我眞的不會吹。

哈姆萊特　請你不要客氣。

吉爾登斯吞　我眞的一點不會，殿下。

哈姆萊特　那是跟說謊一樣容易的；你只要用你的手指按著這些笛孔，把你的嘴放在上面一吹，它就會發出最好聽的音樂來。瞧，這些是音栓。

吉爾登斯吞　可是我不會從它裡面吹出諧和的曲調來；我不懂那技巧。

---

①這句諺語是：「要等草兒青青，馬兒早已餓死」。

哈姆萊特　哼，你把我看成了什麼東西！你會玩弄我；你自以爲摸得到我的心竅；你想要探出我的內心的秘密；你會從我的最低音試到我的最高音；可是在這支小小的樂器之內，藏著絕妙的音樂，你卻不會使它發出聲音來。哼，你以爲玩弄我比玩弄一支笛子容易嗎？無論你把我叫作什麼樂器，你也只能撩撥我，不能玩弄我。

波洛涅斯重上。

哈姆萊特　上帝祝福你，先生！

波洛涅斯　殿下，娘娘請您立刻就去見她說話。

哈姆萊特　你看見那片像駱駝一樣的雲嗎？

波洛涅斯　噯喲，它眞的像一頭駱駝。

哈姆萊特　我想它還是像一頭鼬鼠。

波洛涅斯　它拱起了背，正像是一頭鼬鼠。

哈姆萊特　還是像一條鯨魚吧？

波洛涅斯　很像一條鯨魚。

哈姆萊特　那麼等一會兒我就去見我的母親。（旁白）我給他們愚弄得再也忍不住了。（高聲）我等一會兒就來。

波洛涅斯　我就去這麼說。（下。）

哈姆萊特　說等一會兒是很容易的。離開我，朋友們。（除哈姆萊特外均下）現在是一夜之中最陰森的時候，鬼魂都在此刻從墳墓裡出來，地獄也要向人世吐放癘氣；現在我可以痛飲熱騰騰的鮮血，幹那白晝所不敢正視的殘忍的行爲。且慢！我還要到我母親那兒去一趟。心啊！不要失去你的天性之情，永遠不要讓尼祿①的靈魂潛入我這堅定的胸懷；

①尼祿，曾謀殺其母。

讓我做一個兇徒，可是不要做一個逆子。我要用利劍一樣的說話刺痛她的心，可是決不傷害她身體上一根毛髮；我的舌頭和靈魂要在這一次學學僞善者的樣子，無論在言語上給她多麼嚴厲的譴責，在行動上卻要做得絲毫不讓人家指摘。（下。）

第三場　城堡中一室

國王、羅森格蘭茲及吉爾登斯吞上。

國王　我不喜歡他；縱容他這樣瘋鬧下去，對於我是一個很大的威脅。所以你們快去準備起來吧；我馬上叫人辦好你們要遞送的文書，同時打發他跟你們一塊兒到英國去。就我的地位而論，他的瘋狂每小時都可以危害我的安全，我不能讓他留在我的近旁。

吉爾登斯吞　我們就去準備起來；許多人的安危都寄托在陛下身上，這一種顧慮是最聖明不過的。

羅森格蘭茲　每一個庶民都知道怎樣遠禍全身，一個身負天下重寄的人，尤其應該時刻不懈地防備危害的襲擊。君主的薨逝不僅是個人的死亡，它像一個漩渦一樣，凡是在它近旁的東西，都要被它捲去同歸於盡；又像一個矗立在最高山峰上的巨輪，它的輪輻上連附著無數的小物件，當巨輪轟然崩裂的時候，那些小物件也跟著它一齊粉碎。國王的一聲嘆息，總是隨著全國的呻吟。

國王　請你們準備立刻出發；因爲我們必須及早制止這一種公然的威脅。

羅森格蘭茲
吉爾登斯吞　我們就去趕緊預備。（羅森格蘭茲、吉爾登斯吞同下。）

波洛涅斯上。

波洛涅斯　陛下，他到他母親房間裡去了。我現在就去躲在幃幕後面，聽他們怎麼說。我可以斷定她一定會把他好好教訓一頓的。您說得很不錯，母親對於兒子總有幾分偏心，所以最好有一個第三者躲在旁邊偷聽他們的談話。再會；陛下；在您未睡以前，我還要來看您一次，把我所探聽到的事情告訴您。

國王　謝謝你，賢卿。（波洛涅斯下）啊！我的罪惡的戾氣已經上達於天；我的靈魂上負著一個原始以來最初的咒詛，殺害兄弟的暴行！我不能祈禱！雖然我的願望像決心一樣強烈；我的更堅強的罪惡擊敗了我的堅強的意願。像一個人同時要做兩件事情，我因為不知道應該先從什麼地方下手而徘徊歧途，結果反弄得一事無成。要是這一隻可咒詛的手上染滿了一層比它本身還厚的兄弟的血，難道天上所有的甘霖，都不能把它洗滌得像雪一樣潔白嗎？慈悲的使命，不就是寬宥罪惡嗎？祈禱的目的，不是一方面預防我們的墮落，一方面救拔我們於已墮落之後嗎？那麼我要仰望上天，我的過失已經犯下了。可是唉！哪一種祈禱才是我所適用的呢？「求上帝赦免我的殺人重罪」嗎？那不能，因為我現在還占有著那些引起我的犯罪動機的目的物，我的王冠、我的野心和我的王后。非分攫取的利益還在手裡，就可以倖邀寬恕嗎？在這貪污的人世，罪惡的鍍金的手也許可以把公道推開不顧，暴徒的贓物往往成為枉法的賄賂；可是天上卻不是這樣的，在那邊一切都無可遁避，任何行動都要顯現它的眞相，我們必須當面爲我們自己的罪惡作證。那麼怎麼辦呢？還有什麼法子好想呢？試一試懺悔的力量吧。什麼事情是懺悔所不能做到的？可是對於一個不能懺悔的人，它又有什麼用呢？啊，不幸的處境！啊，像死亡一樣黑暗的心胸！啊，越是掙扎，越是不能脫身的膠住了靈魂！救救我，天使們！試一試吧：屈下來，頑強的膝蓋；鋼絲一樣的心弦，變得像新生之嬰的筋肉一樣柔嫩吧！但願一切轉禍爲福！（退後跪禱。）

哈姆萊特上。

哈姆萊特　他現在正在祈禱，我正好動手；我決定現在就幹，讓他上天堂去，我也算報了仇了。不，那還要考慮一下：一個惡人殺死我的父親；我，他的獨生子，卻把這個惡人送上天堂。啊，這簡直是以恩報怨了。他用卑鄙的手段，在我父親滿心俗念，罪孽正重的時候乘其不備把他殺死；雖然誰也不知道在上帝面前，他的生前的善惡如何相抵，可是照我們一般的推想，他的孽債多半很重的。現在他正在洗滌他的靈魂，要是我在這時候結束了他的性命，那麼天國的路是爲他開放著，這樣還算是復仇嗎？不！收起來，我的劍，等候一個更慘酷的機會吧；當他在酒醉以後，在憤怒之中，或是在亂倫縱慾的時候，有賭博、咒罵或是其他邪惡的行爲的中間，我就要叫他顚躓在我的腳下，讓他幽深黑暗不見天日的靈魂永墮地獄。我的母親在等我。這一服續命的藥劑不過延長了你臨死的痛苦。（下。）

國王起立上前。

國王　我的言語高高飛起，我的思想滯留地下；沒有思想的言語永遠不會上升天界。（下。）

哈姆萊特：他現在正在祈禱，我正好動手。

第四場　王后寢宮

王后及波洛涅斯上。

波洛涅斯　他就要來了。請您把他著實教訓一頓，對他說他這種狂妄的態度，實在叫人忍無可忍，倘沒有您娘娘替他居中迴護，王上早已對他大發雷霆了。我悄悄地躲在這兒。請您對他講得著力一點。

哈姆萊特　（在內）母親，母親，母親！

王后　都在我身上，你放心吧。下去吧，我聽見他來了。（波洛涅斯匿幃後。）

哈姆萊特上。

哈姆萊特　母親，您叫我有什麼事？

王后　哈姆萊特，你已經大大得罪了你的父親啦。

哈姆萊特　母親，您已經大大得罪了我的父親啦。

王后　來，來，不要用這種胡說八道的話回答我。

哈姆萊特　去，去，不要用這種胡說八道的話問我。

王后　啊，怎麼，哈姆萊特！

哈姆萊特　現在又是什麼事？

王后　你忘記我了嗎？

哈姆萊特　不，憑著十字架起誓，我沒有忘記你；你是王后，你的丈夫的兄弟的妻子，你又是我的母親——但願你不是！

王后　嗳喲，那麼我要去叫那些會說話的人來跟你談談了。

哈姆萊特　來，來，坐下來，不要動；我要把一面鏡子放在你的面前，讓你看一看你自己的靈魂。

王后　你要幹麼呀？你不是要殺我嗎？救命！救命呀！

波洛涅斯　（在後）喂！救命！救命！救命！

哈姆萊特　（拔劍）怎麼！是哪一個鼠賊，准是不要命了，我來結束你。（以劍刺穿幃幕。）

波洛涅斯　（在後）啊！我死了！

王后　嗳喲！你幹了什麼事啦？

哈姆萊特　我也不知道；那不是國王嗎？

王后　啊，多麼鹵莽殘酷的行為！

哈姆萊特　殘酷的行為！好媽媽，簡直就跟殺了一個國王再去嫁給他的兄弟一樣壞。

王后　殺了一個國王！

哈姆萊特　嗯，母親，我正是這樣說。（揭幃見波洛涅斯）你這倒運的、粗心的、愛管閒事的傻瓜，再會！我還以為是一個在你上面的人哩。也是你命不該活；現在你可知道愛管閒事的危險了。——別盡扭著你的手。靜一靜，坐下來，讓我扭你的心，你的心倘不是鐵石打成的，萬惡的習慣倘不曾把它硬化得透不進一點感情，那麼我的話一定可以把它刺痛

王后　我幹了些什麼錯事，你竟敢這樣肆無忌憚地向我搖唇弄舌？

哈姆萊特　你的行爲可以使貞節蒙污，使美德得到了僞善的名稱；從純潔的戀情的額上取下嬌艷的薔薇，替它蓋上一個烙印；使婚姻的盟約變成博徒的誓言一樣虛僞；啊！這樣一種行爲，簡直使盟約成爲一個沒有靈魂的軀殼，神聖的婚禮變成一串譫妄的狂言；蒼天的臉上也爲它帶上羞色，大地因爲痛心這樣的行爲，也罩上滿面的愁容，好像世界末日就要到來一般。

王后　唉！究竟是什麼極惡重罪，你把它說得這樣驚人呢？

哈姆萊特　瞧這一幅圖畫，再瞧這一幅；這是兩個兄弟的肖像。你看這一個的相貌多麼高雅優美；太陽神的捲髮，天神的前額，像戰神一樣威風凜凜的眼睛，像降落在高吻穹蒼的山巔的神使一樣矯健的姿態；這一個完善卓越的儀表，眞像每一個天神都曾在那上面打下印記，向世間證明這是一個男子的典型。這是你從前的丈夫。現在你再看這一個：這是你現在的丈夫，像一株霉爛的禾穗，損害了他的健碩的兄弟。你有眼睛嗎？你甘心離開這一座大好的高山，靠著這荒野生活嗎？嘿！你有眼睛嗎？你不能說那是愛情，因爲在你的年紀，熱情已經冷淡下來，變馴服了，肯聽從理智的判斷；什麼理智願意從這麼高的地方，降落到這麼

低的所在呢？知覺你當然是有的，否則你就不會有行動；可是你那知覺也一定已經麻木了；因爲就是瘋人也不會犯那樣的錯誤，無論怎樣喪心病狂，總不會連這樣懸殊的差異都分辨不出來。那麼是什麼魔鬼蒙住了你的眼睛，把你這樣欺騙呢？有眼睛而沒有觸覺、有觸覺而沒有視覺、有耳朵而沒有眼或手、只有嗅覺而別的什麼都沒有，甚至只剩下一種官覺還出了毛病，也不會糊塗到你這步田地。羞啊！你不覺得慚愧嗎？要是地獄中的孽火可以在一個中年婦人的骨髓裡煽起了蠢動，那麼在青春的烈焰中，讓貞操像臘一樣融化了吧。當無法阻遏的情慾大舉進攻的時候，用不著喊什麼羞恥了，因爲霜雪都會自動燃燒，理智都會做情慾的奴隸呢。

王后　啊，哈姆萊特！不要說下去了！你使我的眼睛看進了我自己靈魂的深處，看見我靈魂裡那些洗拭不去的黑色的污點。

哈姆萊特　嘿，生活在汗臭垢膩的眠床上，讓淫邪熏沒了心竅，在污穢的豬圈裡調情弄愛——

王后　啊，不要再對我說下去了！這些話像刀子一樣戳進我的耳朵裡；不要說下去了，親愛的哈姆萊特！

哈姆萊特　一個殺人犯、一個惡徒、一個不及你前夫二百分之一的庸奴、一個冒充國王的丑角、一個盜國竊位的扒手，從架子上偷下那頂珍貴的王冠，塞在自己的腰包裡！

王后　別說了！

哈姆萊特　一個下流襤褸的國王——

鬼魂上。

哈姆萊特　天上的神明啊，救救我，用你們的翅膀覆蓋我的頭頂！——陛下英靈不昧，有什麼見教？

王后 噯喲，他瘋了！

哈姆萊特 您不是來責備您的兒子不該消磨時間和熱情，把您煌煌的命令擱在一旁，耽誤了應該做的大事嗎？啊，說吧！

鬼魂 不要忘記。我現在是來磨礪你的快要蹉跎下去的決心。可是瞧！你的母親那副驚愕的表情。啊，快去安慰安慰她的正在交戰中的靈魂吧！最柔弱的人最容易受幻想的激動。去對她說話，哈姆萊特。

哈姆萊特 您怎麼啦，母親？

王后 唉！你怎麼啦？為什麼你把眼睛睜視著虛無，向空中喃喃說話？你的眼睛裡射出狂亂的神情；像熟睡的兵士突然聽到警號一般，你的整齊的頭髮一根根都像有了生命似的豎立起來。啊，好兒子！在你的瘋狂的熱焰上，澆灑一些清涼的鎮靜吧！你瞧什麼？

哈姆萊特 他，他！您瞧，他的臉色多麼慘淡！看見了他這一種形狀，要是再知道他所負的沉冤，即使石塊也會感動的。——不要瞧著我，免得你那種可憐的神氣反會妨礙我的冷酷的決心；也許我會因此而失去勇氣，讓揮淚代替了流血。

王后 你這番話是對誰說的？

哈姆萊特 您沒有看見什麼嗎？

王后 什麼也沒有；要是有什麼東西在那邊，我不會看不見的。

哈姆萊特 您也沒有聽見什麼嗎？

王后 不，除了我們兩人的說話以外，我什麼也沒有聽見。

哈姆萊特 啊，您瞧！瞧，它悄悄地去了！我的父親，穿著他生前所穿的衣服！瞧！他就在這一刻，從門口走出去了！

（鬼魂下。）

王后　這是你腦中虛構的意象；一個人在心神恍惚之中，最容易發生這種幻妄的錯覺。

哈姆萊特　心神恍惚！我的脈搏跟您的一樣，在按著正常的節奏跳動哩。我所說的並不是瘋話；要是您不信，不妨試試，我可以把話一字不漏地覆述一遍，一個瘋人是不會記憶得那樣清楚的。母親，為了上帝的慈悲，不要自己安慰自己，以為我這一番說話，只是出於瘋狂，不是真的對您的過失而發；那樣的思想不過是騙人的油膏，只能使您潰爛的良心上結起一層薄膜，那內部的毒瘡卻在底下愈長愈大。向上天承認您的罪惡吧，懺悔過去，警戒未來；不要把肥料澆在莠草上，使它們格外蔓延起來。原諒我這一番正義的勸告；因為在這種萬惡的時世，正義必須向罪惡乞恕，它必須俯首屈膝，要求人家接納他的善意的箴規。

王后　啊，哈姆萊特，你把我的心劈為兩半了！

哈姆萊特　啊！把那壞的一半丟掉，保留那另外的一半，讓您的靈魂清淨一些。晚安！可是不要上我叔父的床；即使您已經失節，也得勉力學做一個貞節婦人的樣子。習慣雖然是一個可以使人失去羞恥的魔鬼，但是它也可以做一個天使，對於勉力為善的人，它會用潛移默化的手段，使他徙惡從善。您要是今天晚上自加抑制，下一次就會覺得這一種自制的功夫並不怎樣為難，慢慢地就可以習以為常了；因為習慣簡直有一種改變氣質的神奇的力量，它可以制服魔鬼，並且把他從人們心裡驅逐出去。讓我再向您道一次晚安；當您希望得到上天祝福的時候，我將求您祝福我。至於這一位老人家，（指波洛涅斯）我很後悔自己一時鹵莽把他殺死，可是這是上天的意思，要借著他的死懲罰我，同時借著我的手懲罰他，使我成爲代天行刑的兇器和使者。我現在先去把他的屍體安頓好了，再來承擔這個殺人的過咎。晚安！爲了顧全母子的恩慈，我不得不忍情暴戾；不幸已經開始，更大的災禍還在接踵而至。再有一句話，母親。

王后 我應當怎麼做？

哈姆萊特 我不能禁止您不再讓那肥豬似的僭王引誘您和他同床，讓他擰您的臉，叫您做他的小耗子；我也不能禁止您因爲他給了您一兩個惡臭的吻，或是用他萬惡的手指撫摩您的頸項，就把您所知道的事情一起說了出來，告訴他我實在是裝瘋，不是眞瘋。您應該讓他知道的；因爲哪一個美貌聰明懂事的王后，願意隱藏著這樣重大的消息，不去告訴一隻蛤蟆、一隻蝙蝠、一隻老雄貓知道呢？不，雖然理性警告您保守秘密，您盡管學那寓言中的猴子，因爲受了好奇心的驅使，到屋頂上去開了籠門，把鳥兒放走，自己鑽進籠裡去，結果連籠子一起掉下來跌死吧。

王后 你放心吧，要是言語來自呼吸，呼吸來自生命，只要我一息猶存，就決不會讓我的呼吸洩漏了你對我所說的話。

哈姆萊特 我必須到英國去；您知道嗎？

王后 唉！我忘了；這事情已經這樣決定了。

哈姆萊特 公文已經封好，打算交給我那兩個同學帶去，對這兩個傢伙我要像對待兩條咬人的毒蛇一樣隨時提防；他們將要做我的先驅，引導我鑽進什麼圈套裡去。我倒要瞧瞧他們的能耐。開炮的要是給炮轟了，也是一件好玩的事；他們會埋地雷，我要比他們埋得更深，把他們轟到月亮裡去。啊！用詭計對付詭計，不是頂有趣的嗎？這傢伙一死，多半會提早了我的行期；讓我把這屍體拖到隔壁去。母親，晚安！這一位大臣生前是個愚蠢饒舌的傢伙，現在卻變成非常謹嚴莊重的人了。來，老先生，該是收場的時候了。晚安，母親！（各下。哈姆萊特曳波洛涅斯屍入內。）

第四幕

第一場　城堡中一室

國王、王后、羅森格蘭茲及吉爾登斯吞上。

國王　這些長吁短嘆之中，都含著深長的意義，你必須明說出來，讓我知道。你的兒子呢？

王后　（向羅森格蘭茲、吉爾登斯吞）請你們暫時退開。（羅森格蘭茲、吉爾登斯吞下）啊，陛下！今晚我看見了多麼驚人的事情！

國王　什麼，喬特魯德？哈姆萊特怎麼啦？

王后　瘋狂得像彼此爭強鬥勝的大風和海浪一樣。在他野性發作的時候，他聽見幃幕後面有什麼東西爬動的聲音，就拔出劍，嚷著，「有耗子！有耗子！」於是在一陣瘋狂的恐懼之中，把那躲在幕後的好老人家殺死了。

國王　啊，罪過罪過！要是我在那兒，我也會照樣死在他手裡的；放任他這樣胡作非為，對於你、對於我、對於每一個人，都是極大的威脅。唉！這一件流血的暴行應當由誰負責呢？我是不能辭其咎的，因為我早該防患未然，把這個發瘋的孩子關禁起來，不讓他到處亂走；可是我太愛他了，以至於不願想一個適當的方策，正像一個害著惡瘡的人，因爲不讓它出毒的緣故，弄到毒氣攻心，無法救治一樣。他到哪兒去了？

王后 拖著那個被他殺死的屍體出去了。像一堆下賤的鉛鐵，掩不了眞金的光彩一樣，他知道他自己做錯了事，他的純良的本性就從他的瘋狂裡透露出來，他哭了。

國王 啊，喬特魯德！來！太陽一到了山上，我就趕緊讓他登船出發。對於這一件罪惡的行爲，我只有盡量利用我的威權和手腕，替他掩飾過去。喂！吉爾登斯呑！

羅森格蘭茲及吉爾登斯呑重上。

國王 兩位朋友，你們去多找幾個人幫忙。哈姆萊特在瘋狂之中，已經把波洛涅斯殺死；他現在把那屍體從他母親的房間裡拖出去了。你們去找他來，對他說話要和氣一點；再把那屍體搬到教堂裡去。請你們快去把這件事情辦好。（羅森格蘭茲、吉爾登斯呑下）來，喬特魯德，我要去召集我那些最有見識的朋友們，把我的決定和這一件意外的變故告訴他們，免得外邊無稽的讕言牽涉到我身上，它的毒箭從低聲的密語中間散放出去，是像彈丸從炮口射出去一樣每發必中的，現在我們這樣做後，它或許會落空了。啊，來吧！我的靈魂裡充滿著混亂和驚愕。（同下。）

第二場 城堡中另一室

哈姆萊特上。

哈姆萊特 藏好了。

羅森格蘭茲
吉爾登斯呑 （在內）哈姆萊特！哈姆萊特殿下！

哈姆萊特　什麼聲音？誰在叫哈姆萊特？啊，他們來了。

羅森格蘭茲及吉爾登斯吞上。

羅森格蘭茲　殿下，您把那屍體怎麼樣啦？

哈姆萊特　它本來就是泥土，我仍舊讓它回到泥土裡去。

羅森格蘭茲　告訴我們它在什麼地方，讓我們把它搬到教堂裡去。

哈姆萊特　不要相信。

羅森格蘭茲　不要相信什麼？

哈姆萊特　不要相信我會說出我的秘密，倒替你們保守秘密。而且，一塊海綿也敢問起我來！一個堂堂王子應該用什麼話去回答它呢？

羅森格蘭茲　您把我當作一塊海綿嗎，殿下？

哈姆萊特　嗯，先生，一塊吸收君王的恩寵、利祿和官爵的海綿。可是這樣的官員要到最後才會顯出他們對於君王的最大用處來；像猴子吃硬殼果一般，他們的君王先把他們含在嘴裡舐弄了好久，然後再一口咽了下去。當他需要被你們所吸收去的東西的時候，他只要把你們一擠，於是，海綿，你又是一塊乾巴巴的東西了。

羅森格蘭茲　我不懂您的話，殿下。

哈姆萊特　那很好，下流的話正好讓它埋葬在一個傻瓜的耳朵裡。

羅森格蘭茲　殿下，您必須告訴我們那屍體在什麼地方，然後跟我們見王上去。

哈姆萊特　他的身體和國王同在，可是那國王並不和他的身體同在。國王是一件東西——

吉爾登斯吞　一件東西，殿下！

羅森格蘭茲：殿下，您把那屍體怎麼樣啦？
哈 姆 萊 特：它本來就是泥土，我仍舊讓它回到泥土裡去。

哈姆萊特 一件虛無的東西。帶我去見他。狐狸躲起來，大家追上去。（同下。）

第三場 城堡中另一室

國王上，侍從後隨。

國王 我已經叫他們找他去了，並且叫他們把那屍體尋出來。讓這傢伙任意胡鬧，是一件多麼危險的事情！可是我們又不能把嚴刑峻法加在他的身上，他是為糊塗的群眾所喜愛的，他們喜歡一個人，只憑眼睛，不憑理智；我要是處罰了他，他們只看見我的刑罰的苛酷，卻不想到他犯的是什麼重罪。爲了顧全各方面的關係，這樣叫他迅速離國，必須顯得像是深思熟慮的結果。應付非常的變故，只有用非常的手段，不然是不中用的。

羅森格蘭茲上。

國王　啊！事情怎樣啦？

羅森格蘭茲　陛下，他不肯告訴我們那屍體在什麼地方。

國王　可是他呢？

羅森格蘭茲　在外面，陛下；我們把他看起來了，等候您的旨意。

國王　帶他來見我。

羅森格蘭茲　喂，吉爾登斯吞！帶殿下進來。

哈姆萊特及吉爾登斯吞上。

國王　啊，哈姆萊特，波洛涅斯呢？

哈姆萊特　吃飯去了。

國王　吃飯去了！在什麼地方？

哈姆萊特　不是在他吃飯的地方，是在人家吃他的地方；有一群精明的蛆蟲正在他身上大吃特吃哩。蛆蟲是全世界最大的饕餮家；我們餵肥了各種牲畜給自己受用，再餵肥了自己去給蛆蟲受用。胖胖的國王跟瘦瘦的乞丐是一個桌子上兩道不同的菜；不過是這麼一回事。

國王　唉！唉！

哈姆萊特　一個人可以拿一條吃過一個國王的蛆蟲去釣魚，再吃那吃過那條蛆蟲的魚。

國王　你這句話是什麼意思？

哈姆萊特　沒有什麼意思，我不過指點你一個國王可以在一個乞丐的臟腑裡作一番巡禮。

國王　波洛涅斯呢？

哈姆萊特　在天上；你差人到那邊去找他吧。要是你的使者在天上找不到他，那麼你可以自己到另外一個所在去找他。可是你們在這一個月裡要是找不到他的話，你們只要跑上走廊的階石，也就可以聞到他的氣味了。

國王　（向若干侍從）到走廊裡去找一找。

哈姆萊特　他一定會恭候你們。（侍從等下。）

國王　哈姆萊特，你幹出這種事來，使我非常痛心。由於我很關心你的安全，你必須火速離開國境；所以快去自己預備預備。船已經整裝待發，風勢也很順利，同行的人都在等著你，一切都已經準備好向英國出發。

哈姆萊特　到英國去！

國王　是的，哈姆萊特。

哈姆萊特　好。

國王　要是你明白我的用意，你應該知道這是為了你的好處。

哈姆萊特　我看見一個明白你的用意的天使。可是來，到英國去！再會，親愛的母親！

國王　我是你慈愛的父親，哈姆萊特。

哈姆萊特　我的母親。父親和母親是夫婦兩個，夫婦是一體之親；所以再會吧，我的母親！來，到英國去！（下。）

國王　跟在他後面，勸誘他趕快上船，不要耽誤；我要叫他今晚離開國境。去！和這件事有關的一切公文要件，都已經密封停當了。請你們趕快一點。（羅森格蘭茲、吉爾登斯吞下）英格蘭王啊，丹麥的寶劍在你的國土上還留著鮮明的創痕，你向我們納款輸誠的敬禮至今未減，要是你畏懼我的威力，重視我的友誼，你就不能忽視我的意旨；我已經在公函裡要求你把哈姆萊特立即處死，照著我的意思做吧，英格蘭王，因爲他像是我深入膏肓的痼疾，一定要借你的手把我醫好。我必須知道他已經不在人世，我的臉上才會浮起笑容。（下。）

第四場　丹麥原野

福丁布拉斯、一隊長及兵士等列隊行進上。

福丁布拉斯　隊長，你去替我問候丹麥國王，告訴他說福丁布拉斯因爲得到他的允許，已經按照約定，率領一支軍隊通過他的國境，請他派人來帶路。你知道我們在什麼地方集合。要是丹麥王有什麼話要跟我當面說，我也可以入朝晉謁；你就這樣對他說吧。

隊長　是，主將。

福丁布拉斯　慢步前進。（福丁布拉斯及兵士等下。）

哈姆萊特、羅森格蘭茲、吉爾登斯吞等同上。

哈姆萊特　官長，這些是什麼人的軍隊？

隊長　他們都是挪威的軍隊，先生。

哈姆萊特　請問他們是開到什麼地方去的？

隊長　到波蘭的某一部分去。

哈姆萊特　誰是領兵的主將？

隊長　挪威老王的侄兒福丁布拉斯。

哈姆萊特　他們是要向波蘭本土進攻呢，還是去襲擊邊疆？

隊長　不瞞您說，我們是要去奪一小塊徒有虛名毫無實利的土地。叫我出五塊錢去把它租下來，我也不要；要是把它標賣起來，不管是歸挪威，還是歸波蘭，也不會得到更多的好處。

哈姆萊特 啊，那麼波蘭人一定不會防衛它的了。

隊長 不，他們已佈防好了。

哈姆萊特 為了這一塊荒瘠的土地，犧牲了二千人的生命，二萬塊的金圓，爭執也不會解決。這完全是因為國家富足昇平了，晏安的積毒蘊蓄於內，雖然已經到了潰爛的程度，外表上卻還一點看不出致死的原因來。謝謝您，官長。

隊長 上帝和您同在，先生。（下。）

羅森格蘭茲 我們去吧，殿下。

哈姆萊特 我就來，你們先走一步。（除哈姆萊特外均下）我所見到、聽到的一切，都好像在對我譴責，鞭策我趕快進行我的蹉跎未就的復仇大願！一個人要是把生活的幸福和目的，只看作吃吃睡睡，他還算是個什麼東西？簡直不過是一頭畜生！上帝造下我們來，使我們能夠這樣高談闊論，瞻前顧後，當然要我們利用他所賦與我們的這一種能力和靈明的理智，不讓它們白白廢掉。現在我明明有理由、有決心、有力量、有方法，可以動手幹我所要幹的事，可是我還是在大言不慚地說：「這件事需要做。」可是始終不曾在行動上表現出來；我不知道這是因為像鹿豕一般的健忘呢，還是因為三分懦怯一分智慧的過於審慎的顧慮。像大地一樣顯明的榜樣都在鼓勵我；瞧這一支勇猛的大軍，領隊的是一個嬌養的少年王子，勃勃的雄心振起了他的精神，使他蔑視不可知的結果，為了區區彈丸大小的一塊不毛之地，拼著血肉之軀，去向命運、死亡和危險挑戰。真正的偉大不是輕舉妄動，而是在榮譽遭遇危險的時候，即使爲了一根稻稈之微，也要慷慨力爭。可是我的父親給人慘殺，我的母親給人污辱，我的理智和感情都被這種不共戴天的大仇所激動，我卻因循隱忍，一切聽其自然，看著這二萬個人爲了博取一個空虛的名聲，視死如歸地走下他們的墳墓裡去，目的只是爭奪一方還不夠給他們作戰場或者埋骨之所的土地，相形之下，我將何地自容呢？啊！從這一刻起，讓我摒除一切的疑慮妄念，把流血的思想充滿在我的腦際！（下。）

第五場　艾爾西諾。城堡中一室

王后、霍拉旭及一侍臣上。

王后　我不願意跟她說話。

侍臣　她一定要見您；她的神氣瘋瘋癲癲，瞧著怪可憐的。

王后　她要什麼？

侍臣　她不斷提起她的父親；她說她聽見這世上到處是詭計；一邊呻吟，一邊捶她的心，對一些瑣瑣屑屑的事情痛罵，講的都是些很玄妙的話，好像有意思，又好像沒有意思。她的話雖然不知所云，可是卻能使聽見的人心中發生反應，而企圖從它裡面找出意義來；他們妄加猜測，把她的話斷章取義，用自己的思想附會上去；當她講那些話的時候，有時眨眼，有時點頭，做著種種的手勢，的確使人相信在她的言語之間，含蓄著什麼意思，雖然不能確定，卻可以作一些很不好聽的解釋。

霍拉旭　最好有什麼人跟她談談，因爲也許她會在愚妄的腦筋裡散佈一些危險的猜測。

王后　讓她進來。（侍臣下）。

我負疚的靈魂惴惴驚惶，

瑣瑣細事也像預兆災殃；

罪惡是這樣充滿了疑猜，

越小心越容易流露鬼胎。

侍臣率奧菲利婭重上。

奧菲利婭　丹麥的美麗的王后陛下呢？

王后　啊，奧菲利婭！

奧菲利婭　（唱）

張三李四滿街走，

誰是你情郎？

氈帽在頭杖在手，

草鞋穿一雙。

王后　唉！好姑娘，這支歌是什麼意思呢？

奧菲利婭　您說？請您聽好了。（唱）

姑娘，姑娘，他死了，

一去不復來；

頭上蓋著青青草，

腳下石生苔。

嗬呵！

王后　噯，可是，奧菲利婭——

奧菲利婭　請您聽好了。（唱）

殮衾遮體白如雪——

國王上。

王后　唉！陛下，您瞧。

奧菲利婭　（唱）

鮮花紅似雨；
花上盈盈有淚滴，
伴郎墳墓去。

國王　你好，美麗的姑娘？

奧菲利婭　好，上帝保佑您！他們說貓頭鷹是一個麵包師的女兒變成的。主啊！我們都知道我們現在是什麼，可是誰也不知道自己將來會變成什麼。願上帝和您同席！

國王　她父親的死激成了她這種幻想。

奧菲利婭　對不起，我們再別提這件事了。要是有人問您這是什麼意思，您就這樣對他說：（唱）

情人佳節就在明天，
我要一早起身，
梳洗齊整到你窗前，
來做你的戀人。
他下了床披了衣裳，
他開開了房門；
她進去時是個女郎，
出來變了婦人。

國王　美麗的奧菲利婭！

奧菲利婭　真的，不用發誓，我會把它唱完：（唱）

憑著神聖慈悲名字，
這種事太丟臉！
少年男子不知羞恥，
一味無賴糾纏。
她說你曾答應娶我，
然後再同枕席。

Ophelia. [*Sings.*] Larded with sweet flowers,
Which bewept to the grave did go
With true-love showers.
Act IV. Scene V.

奧菲利婭：（唱）鮮花紅似雨；花上盈盈有淚滴，
伴郎墳墓去。

——本來確是想這樣作，
無奈你等不及。

國王　她這個樣子已經多久了？

奧菲利婭　我希望一切轉禍爲福！我們必須忍耐；可是我一想到他們把他放下寒冷的泥土裡去，我就禁不住掉淚。我的哥哥必須知道這件事。謝謝你們很好的勸告。來，我的馬車！晚安，太太們；晚安，可愛的小姐們；晚安，晚安！（下。）

國王　緊緊跟住她；留心不要讓她鬧出亂子來。（霍拉旭下）啊！深心的憂傷把她害成這樣子；這完全是爲了她父親的死。啊，喬特魯德，喬特魯德！不幸的事情總是接踵而來：第一是她父親的被殺；然後是你兒子的遠別，他闖了這樣大禍，不得不亡命異國，也是自取其咎。人民對於善良的波洛涅斯的暴死，已經群疑蜂起，議論紛紛；我這樣匆匆忙忙地把他秘密安葬，更加引起了外間的疑竇；可憐的奧菲利婭也因此而傷心得失去了她的正常的理智，我們人類沒有了理智，不過是畫上的圖形，無知的禽獸。最後，跟這些事情同樣使我不安的，她的哥哥已經從法國秘密回來，行動詭異，居心叵測，他的耳中所聽到的，都是那些播弄是非的人所散播的關於他父親死狀的惡意的謠言；這些謠言，由於找不到確鑿的事實根據，少不得牽涉到我的身上。啊，我的親愛的喬特魯德！這就像一尊厲害的開花炮，打得我遍體血肉橫飛，死上加死。（內喧呼聲。）

王后　噯喲！這是什麼聲音？

一侍臣上。

國王　我的瑞士衛隊呢？叫他們把守宮門。什麼事？

侍臣　趕快避一避吧，陛下；比大洋中的怒潮沖決堤岸、席捲平原還要洶洶其勢，年輕的雷歐提斯帶領著一隊叛軍，打敗了您的衛士，衝進宮裡來了。這一群暴徒把他稱為主上；就像世界還不過剛才開始一般，他們推翻了一切的傳統和習慣，自己制訂規矩，擅作主張，高喊著，「我們推舉雷歐提斯做國王！」他們擲帽舉手，吆呼的聲音響徹雲霄，「讓雷歐提斯做國王，讓雷歐提斯做國王！」

王后　他們這樣興高采烈，卻不知道已經誤入歧途！啊，你們幹了錯事了，你們這些不忠的丹麥狗！（內喧呼聲。）

國王　宮門都已打破了。

雷歐提斯戎裝上；一群丹麥人隨上。

雷歐提斯　國王在哪兒？弟兄們，大家站在外面。

眾人　不，讓我們進來。

雷歐提斯　對不起，請你們聽我的話。

眾人　好，好。（衆人退立門外。）

雷歐提斯　謝謝你們；把門看守好了。啊，你這萬惡的奸王！還我的父親來！

王后　安靜一點，好雷歐提斯。

雷歐提斯　我身上要是有一點血安靜下來，我就是個野生的雜種，我的父親是個忘八，我的母親的貞潔的額角上，也要雕上娼妓的惡名。

國王　雷歐提斯，你這樣大張聲勢，興兵犯上，究竟為了什麼原因？——放了他，喬特魯德；不要擔心他會傷害我的身體，一個君王是有神靈呵護的，叛逆只能在一邊蓄意窺伺，作不出什麼事情來。——告訴我，雷歐提斯，你有什麼氣惱不平的事？——放了他，喬特魯德。——你說吧。

雷歐提斯　我的父親呢？

國王　死了。

王后　但是並不是他殺死的。

國王　讓他問下去。

雷歐提斯　他怎麼會死的？我可不能受人家的愚弄。忠心，到地獄裡去吧！讓最黑暗的魔鬼把一切誓言抓了去！什麼良心，什麼禮貌，都給我滾下無底的深淵裡去！我要向永劫挑戰。我的立場已經堅決：今生怎樣，來生怎樣，我一概不顧，只要痛痛快快地為我的父親復仇。

國王　有誰阻止你呢？

雷歐提斯　除了我自己的意志以外，全世界也不能阻止我；至於我的力量，我一定要使用得當，叫它事半功倍。

國王　好雷歐提斯，要是你想知道你的親愛的父親究竟是怎樣死去的話，難道你復仇的方式是把朋友和敵人都當作對象，把贏錢的和輸錢的賭注都一掃而光嗎？

雷歐提斯　冤有頭，債有主，我只要找我父親的敵人算賬。

國王　那麼你要知道誰是他的敵人嗎？

雷歐提斯　對於他的好朋友，我願意張開我的手臂擁抱他們，像捨身的鵜鶘一樣，把我的血供他們暢飲①。

國王　啊，現在你才說得像一個孝順的兒子和眞正的紳士。我不但對於令尊的死不曾有分，而且爲此也感覺到非常的悲痛；這一個事實將會透過你的心，正像白晝的陽光照射你的眼睛一樣。

眾人　（在內）放她進去！

---

①昔人誤信鵜鶘以其血哺雛，故云。

雷歐提斯　怎麼！那是什麼聲音？

奧菲利婭重上。

雷歐提斯　啊，赤熱的烈焰，炙枯了我的腦漿吧！七倍辛酸的眼淚，灼傷了我的視覺吧！天日在上，我一定要叫那害你瘋狂的仇人重重地抵償他的罪惡。啊，五月的玫瑰！親愛的女郎，好妹妹，奧菲利婭！天啊！一個少女的理智，也會像一個老人的生命一樣受不起打擊嗎？人類的天性由於愛情而格外敏感，因為是敏感的，所以會把自己最珍貴的部分捨棄給所愛的事物。

奧菲利婭　（唱）

他們把他抬上柩架；
　哎呀，哎呀，哎哎呀；
在他墳上淚如雨下；——
　再會，我的鴿子！

雷歐提斯　要是你沒有發瘋而激勵我復仇，你的言語也不會比你現在這樣子更使我感動了。

奧菲利婭　你應該唱：「當啊當，還叫他啊當啊。」哦，這紡輪轉動的聲音配合得多麼好聽！唱的是那壞良心的管家把主人的女兒拐了去了。

雷歐提斯　這一種無意識的話，比正言危論還要有力得多。

奧菲利婭　這是表示記憶的迷迭香；愛人，請你記著吧；這是表示思想的三色堇。

雷歐提斯　這瘋話很有道理，思想和記憶都提得很合適。

奧菲利婭　這是給您的茴香和漏斗花；這是給您的芸香，這兒還留著一些給我自己；遇到禮拜天，我們不妨叫它慈悲草。啊！您可以把您的芸香插戴得別緻一點。這兒是一枝雛

菊；我想要給您幾朵紫羅蘭，可是我父親一死，它們全都謝了；他們說他死得很好——（唱）

可愛的羅賓是我的寶貝。

雷歐提斯　憂愁、痛苦、悲哀和地獄中的磨難，在她身上都變成了可憐可愛。

奧菲利婭　（唱）

他會不會再回來？
他會不會再回來？
　不，不，他死了；
　你的命難保，
他再也不會回來。
他的鬍鬚像白銀，
滿頭黃髮亂紛紛。
　人死不能活，
　且把悲聲歇；
上帝饒赦他靈魂！

求上帝饒赦一切基督徒的靈魂！上帝和你們同在！（下。）

雷歐提斯　上帝啊，你看見這種慘事嗎？

國王　雷歐提斯，我必須跟你詳細談談關於你所遭逢的不幸；你不能拒絕我這一個權利。你不妨先去選擇幾個你的最有見識的朋友，請他們在你我兩人之間做公正人：要是他們評斷的結果，認為是我主動或同謀殺害的，我願意放棄我的國土、我的王冠、我的生命以及我所有的一切，作為對你的補償；可是他們假如認為我是無罪的，那麼你必須答應助我一臂之力，讓我們兩人開誠合作，訂出一個懲兇的方策來。

雷歐提斯　就這樣吧；他死得這樣不明不白，他的下葬又是這樣偷偷摸摸的，他的屍體上沒有一些戰士的榮飾，也不曾替他舉行一些哀祭的儀式，從天上到地下都在發出憤懣不平的呼聲，我不能不問一個明白。

國王　你可以明白一切；誰是眞有罪的，讓斧鉞加在他的頭上吧。請你跟我來。（同下。）

第六場　城堡中另一室

霍拉旭及一僕人上。

霍拉旭　要來見我說話的是些什麼人？

僕人　是幾個水手，主人；他們說他們有信要交給您。

霍拉旭　叫他們進來。（僕人下）倘不是哈姆萊特殿下差來的人，我不知道在這世上的哪一部分會有人來看我。

衆水手上。

水手甲　上帝祝福您，先生！

霍拉旭　願他也祝福你。

水手乙　他要是高興，先生，他會祝福我們的。這兒有一封信給您，先生——它是從那位到英國去的欽使寄來的。——要是您的名字果然是霍拉旭的話。

霍拉旭　（讀信）「霍拉旭，你把這封信看過以後，請把來人領去見一見國王；他們還有信要交給他。我們在海上的第二天，就有一艘很兇猛的海盜船向我們追擊。我們因爲船行太慢，只好勉力迎敵；在彼此相持的時候，我跳上海盜船，他們就立刻拋下我們的船，揚帆而去，剩下我一個人做他們的俘虜。他們對待我很是有禮，可是他們知道這樣

霍拉旭：（讀信）「霍拉旭，你把這封信看過以後，
請把來人領去見一見國王。」

做對他們有利；我還要重謝他們哩。把我給國王的信交給他以後，請你就像逃命一般火速來見我。我有一些可以使你聽了咋舌的話要在你的耳邊說；可是事實的本身比這些話還要嚴重得多。來人可以把你帶到我現在所在的地方。羅森格蘭茲和吉爾登斯吞到英國去了；關於他們我還有許多話要告訴你。再會。你的知心朋友哈姆萊特。」來，讓我立刻就帶你們去把你們的信送出，然後請你們盡快領我到那把這些信交給你們的那個人的地方去。（同下。）

第七場　城堡中另一室

國王及雷歐提斯上。

國王　你已經用你同情的耳朵，聽見我告訴你那殺死令尊的人，也在圖謀我的生命；現在你必須明白我的無罪，並且把我當作你的一個心腹的友人了。

雷歐提斯　聽您所說，果然像是眞的；可是告訴我，您自己的安全、長遠的謀慮和其他一切，都在大力推動您，爲什麼您對於這樣罪大惡極的暴行，反而不採取嚴厲的手段呢？

國王　啊！那是因爲有兩個理由，也許在你看來是不成其爲理由的，可是對於我卻有很大的關係。王后，他的母親，差不多一天不看見他就不能生活；至於我自己，那麼不管這是我的好處或是我的致命的弱點，我的生命和靈魂是這樣跟她連結在一起，正像星球不能跳出軌道一樣，我也不能沒有她而生活。而且我所以不能把這件案子公開，還有一個重要的顧慮：一般民衆對他都有很大的好感，他們盲目的崇拜像一道使樹木變成石塊的魔泉一樣，會把他戴的鐐銬也當作光榮。我的箭太輕、太沒有力了，遇到這樣的狂風，一定不能射中目的，反而給吹了轉來。

雷歐提斯　那麼難道我的一個高貴的父親就這樣白白死去，一個好好的妹妹就這樣白白瘋了不成？如果能允許我贊美她過去的容貌才德，那簡直是可以傲視一世、睥睨古今的。可是我的報仇的機會總有一天會到來。

國王　不要讓這件事擾亂了你的睡眠；你不要以爲我是這樣一個麻木不仁的人，會讓人家揪著我的鬍鬚，還以爲這不過是開開玩笑。不久你就可以聽到消息。我愛你父親，我也愛我自己；那我希望可以使你想到——

一使者上。

國王　啊！什麼消息？

使者　啓稟陛下，是哈姆萊特寄來的信；這一封是給陛下的，這一封是給王后的。

國王　哈姆萊特寄來的！是誰把它們送到這兒來的？

使者　他們說是幾個水手，陛下，我沒有看見他們；這兩封信是克勞狄奥交給我的，來人把信送在他手裡。

國王　雷歐提斯，你可以聽一聽這封信。出去！（使者下。讀信）「陛下，我已經光著身子回到您的國土上來了。明天我就要請您允許我拜謁御容。讓我先向您告我的不召而返之罪，然後再向你稟告我這次突然意外回國的原因。哈姆萊特敬上。」這是什麼意思？同去的人也都一起回來了嗎？還是有什麼人在搗鬼，事實上並沒有這麼一回事？

雷歐提斯　您認識這筆跡嗎？

國王　這確是哈姆萊特的親筆。「光著身子！」這兒還附著一筆，說是「一個人回來」。你看他是什麼用意？

雷歐提斯　我可不懂，陛下。可是他來得正好；我一想到我能夠有這樣一天當面申斥他：「你幹的好事」，我的鬱悶的心也熱起來了。

國王　要是果然這樣的話，可是怎麼會這樣呢？然而，此外又如何解釋呢？雷歐提斯，你願意聽我的吩咐嗎？

雷歐提斯　願意，陛下，只要您不勉強我跟他和解。

國王　我是要使你自己心裡得到平安。要是他現在中途而返，不預備再作這樣的航行，那麼我已經想好了一個計策，慫恿他去做一件事情，一定可以叫他自投羅網；而且他死了以後，誰也不能講一句閒話，即使他的母親也不能覺察我們的詭計，只好認為是一件意外的災禍。

雷歐提斯 陛下，我願意服從您的指揮；最好請您設法讓他死在我的手裡。

國王 我正是這樣計畫。自從你到國外遊學以後，人家常常說起你有一種特長的本領，這種話哈姆萊特也是早就聽到過的；雖然在我的意見之中，這不過是你所有的才藝中間最不足道的一種，可是你的一切才藝的總和，都不及這一種本領更能挑起他的妒忌。

雷歐提斯 是什麼本領呢，陛下？

國王 它雖然不過是裝飾在少年人帽上的一條緞帶，但也是少不了的；因為年輕人應該裝束得華麗瀟灑一些，表示他的健康活潑，正像老年人應該裝束得樸素大方一些，表示他的矜嚴莊重一樣。兩個月以前，這兒來了一個諾曼紳士；我自己曾經見過法國人，和他們打過仗，他們都是很精於騎術的；可是這位好漢簡直有不可思議的魔力，他騎在馬上，好像和他的坐騎化成了一體似的，隨意馳驟，無不出神入化。他的技術是那樣遠超過我的預料，無論我杜撰一些怎樣誇大的辭句，都不夠形容它的奇妙。

雷歐提斯 是諾曼人嗎？

國王 是個諾曼人。

雷歐提斯 那麼一定是拉摩德了。

國王 正是他。

雷歐提斯 我認識他；他的確是全國知名的勇士。

國王 他承認你的武藝很了不得，對於你的劍術尤其極口稱贊，說是倘有人能夠和你對敵，那一定大有可觀；他發誓說他們國裡的劍士要是跟你交起手來，一定會眼花撩亂，全然失去招架之功。他對你的這一番誇獎，使哈姆萊特妒惱交集，一心希望你快些回來，好跟他比賽一下。從這一點上——

雷歐提斯　從這一點上怎麼，陛下？

國王　雷歐提斯，你眞愛你的父親嗎？還是不過是做作出來的悲哀，只有表面，沒有眞心？

雷歐提斯　您爲什麼這樣問我？

國王　我不是以爲你不愛你的父親；可是我知道愛不過起於一時感情的衝動，經驗告訴我，經過了相當時間，它是會逐漸冷淡下去的。愛像一盞油燈，燈蕊燒枯以後，它的火焰也會由微暗而至於消滅。一切事情都不能永遠保持良好，因爲過度的善反會摧毀它的本身，正像一個人因充血而死去一樣。我們所要做的事，應該一想到就做；因爲人的想法是會變化的，有多少舌頭、多少手、多少意外，就會有多少猶豫、多少遲延，那時候再空談該作什麼，只不過等於聊以自慰的長吁短嘆，只能傷害自己的身體罷了。可是回到我們所要談論的中心問題上來吧。哈姆萊特回來了；你預備怎麼用行動代替言語，表明你自己的確是你父親的孝子呢？

雷歐提斯　我要在教堂裡割破他的喉嚨。

國王　當然，無論什麼所在都不能庇護一個殺人的兇手；復仇應該不受地點的限制。可是，好雷歐提斯，你要是果然志在復仇，還是住在自己家裡不要出來。哈姆萊特回來以後，我們可以讓他知道你也已經回來，叫幾個人在他的面前誇獎你的本領，把你說得比那法國人所講的還要了不得，慫恿他和你作一次比賽，賭個輸贏。他是個粗心的人，一向厚道，想不到人家在算計他，一定不會仔細檢視比賽用的刀劍的利鈍；你只要預先把一柄利劍混雜在裡面，趁他沒有注意的時候不動聲色地自己拿了，在比賽之際，看準他的要害刺了過去，就可以替你的父親報了仇了。

雷歐提斯 我願意這樣做；爲了達到復仇的目的，我還要在我的劍上塗一些毒藥。我已經從一個賣藥人手裡買到一種致命的藥油，只要在劍頭上沾了一滴，刺到人身上，它一碰到血，即使只是擦破了一些皮膚，也會毒性發作，無論什麼靈丹仙草，都不能挽救。我就去把劍尖蘸上這種烈性毒劑，只要我刺破他一點，就叫他送命。

國王 讓我們再考慮考慮，看時間和機會能夠給我們什麼方便。要是這一個計策會失敗，要是我們會在行動之間露出破綻，那麼還是不要嘗試的好。爲了預防失敗起見，我們應該另外再想一個萬全之計。且慢！讓我想來：我們可以對你們兩人的勝負打賭；啊，有了：你在跟他交手的時候，必須使出你全副的精神，使他疲於奔命，等他口乾煩躁，要討水喝的當兒，我就爲他預備好一杯毒酒，萬一他逃過了你的毒劍，只要他讓酒沾唇，我們的目的也就同樣達到了。且慢！什麼聲音？

王后上。

國王 啊，親愛的王后！

王后 一樁禍事剛剛到來，又有一樁接踵而至。雷歐提斯，你的妹妹掉在水裡淹死了。

雷歐提斯 淹死了！啊！在哪兒？

King. And, in a pass of practice,
Requite him for your father.
Laertes. I will do't:
And, for that purpose, I'll anoint my sword.
Act IV. Scene VII.

國　　王：你只要預先把一柄利劍混雜在裡面，趁他沒有注意的時候不動聲色地自己拿了，在比賽之際，看準他的要害刺了過去，就可以替你的父親報了仇了。

雷歐提斯：我願意這樣做；爲了達到復仇的目的，我還要在我的劍上塗一些毒藥。

王后 在小溪之旁，斜生著一株楊柳，它的毿毿的枝葉倒映在明鏡一樣的水流之中；她編了幾個奇異的花環來到那裡，用的是毛茛，蕁麻、雛菊和長頸蘭——正派的姑娘管這種花叫死人指頭，說粗話的牧人卻給它起了另一個不雅的名字。——她爬上一根橫垂的樹枝，想要把她的花冠掛在上面；就在這時候，一根心懷惡意的樹枝折斷了，她就連人帶花一起落下嗚咽的溪水裡。她的衣服四散展開，使她暫時像人魚一樣漂浮水上；她嘴裡還斷斷續續唱著古老的謠曲，好像一點不感覺到她處境的險惡，又好像她本來就是生長在水中一般。可是不多一會兒，她的衣服給水浸得重起來了，這可憐的人歌兒還沒有唱完，就已經沉到泥裡去了。

雷歐提斯 唉！那麼她淹死了嗎？

王后 淹死了，淹死了！

雷歐提斯 太多的水淹沒了你的身體，可憐的奧菲利婭，所以我必須忍住我的眼淚。可是人類的常情是不能遏阻的，我掩飾不了心中的悲哀，只好顧不得慚愧了；當我們的眼淚乾了以後，我們的婦人之仁也會隨著消滅的。再會，陛下！我有一段炎炎欲焚的烈火般的話，可是我的傻氣的眼淚把它澆熄了。（下。）

國王 讓我們跟上去，喬特魯德；我好不容易才把他的怒氣平息了一下，現在我怕又要把它挑起來了。快讓我們跟上去吧。（同下。）

第五幕

第一場　墓　　地

二小丑攜鋤鍬等上。

小丑甲　她存心自己脫離人世，卻要照基督徒的儀式下葬嗎？

小丑乙　我對你說是的，所以你趕快把她的墳掘好吧；驗屍官已經驗明她的死狀，宣布應該按照基督徒的儀式把她下葬。

小丑甲　這可奇了，難道她是因爲自衛而跳下水裡的嗎？

小丑乙　他們驗明是這樣的。

小丑甲　那一定是爲了自毀，不可能有別的原因。因爲問題是這樣的：要是我有意投水自殺，那必須成立一個行爲；一個行爲可以分爲三部分，那就是幹、行、做；所以，她是有意投水自殺的。

小丑乙　嗳，你聽我說——

小丑甲　讓我說完。這兒是水；好，這兒站著人；好，要是這個人跑到這個水裡，把他自己淹死了，那麼，不管他自己願不願意，總是他自己跑下去的；你聽見了沒有？可是要是那水來到他的身上把他淹死了，那就不是他自己把自己淹死；所以，對於他自己的死無罪的人，並沒有縮短他自己的生命。

小丑乙　法律上是這樣說的嗎？

小丑甲　嗯，是的，這是驗屍官的驗屍法。

小丑乙　說一句老實話，要是死的不是一位貴家女子，他們決不會按照基督徒的儀式把她下葬的。

小丑甲　對了，你說得有理；有財有勢的人，就是要投河上吊，比起他們同教的基督徒來也可以格外通融，世上的事情眞是太不公平了！來，我的鋤頭。要講家世最悠久的人，就得數種地的、開溝的和掘墳的；他們都繼承著亞當的行業。

小丑乙　亞當也算世家嗎？

小丑甲　自然要算，他在創立家業方面很有兩手呢。

小丑乙　他有什麼兩手？

小丑甲　怎麼？你是個異教徒嗎？你的（聖經）是怎麼念的。（聖經）上說亞當掘地；沒有兩手，能夠掘地嗎？讓我再問你一個問題；要是你回答得不對，那麼你就承認你自己——

小丑乙　你問吧。

小丑甲　誰造出東西來比泥水匠、船匠或是木匠更堅固？

小丑乙　造絞架的人；因爲一千個寄寓在上面的人都已經先後死去，它還是站在那兒動都不動。

小丑甲　我很喜歡你的聰明，眞的。絞架是很合適的；可是它怎麼是合適的？它對於那些有罪的人是合適的。你說絞架造得比教堂還堅固，說這樣的話是罪過的；所以，絞架對於你是合適的。來，重新說過。

小丑乙　誰造出東西來比泥水匠、船匠或是木匠更堅固？

小丑甲　嗯，你回答了這個問題，我就讓你下工。

小丑乙：誰造出東西來比泥水匠、船匠或是木匠更堅固？
小丑甲：嗯，你回答了這個問題，我就讓你下工。

小丑乙　呃，現在我知道了。

小丑甲　說吧。

小丑乙　眞的，我可回答不出來。

哈姆萊特及霍拉旭上，立遠處。

小丑甲　別盡絞你的腦汁了，懶驢子是打死也走不快的；下回有人問你這個問題的時候，你就對他說，「掘墳的人」，因爲他造的房子是可以一直住到世界末日的。去，到約翰的酒店裡去給我倒一杯酒來。（小丑乙下。小丑甲且掘且歌）

年輕時候最愛偷情，
　覺得那事很有趣味；

規規矩矩學做好人，

在我看來太無意義。

哈姆萊特　這傢伙難道對於他的工作一點沒有什麼感覺，在掘墳的時候還會唱歌嗎？

霍拉旭　他做慣了這種事，所以不以爲意。

哈姆萊特　正是；不大勞動的手，它的感覺要比較靈敏一些。

小丑甲　（唱）

誰料如今歲月潛移，

老景催人急於星火，

兩腿挺直，一命歸西，

世上原來不曾有我。（擲起一骷髏。）

哈姆萊特　那個骷髏裡面曾經有一條舌頭，它也會唱歌哩；瞧這傢伙把它摔在地上，好像它是第一個殺人兇手該隱①的顎骨似的！它也許是一個政客的頭顱，現在卻讓這蠢貨把它丟來踢去；也許他生前是個偷天換日的好手，你看是不是？

霍拉旭　也許是的，殿下。

哈姆萊特　也許是一個朝臣，他會說，「早安，大人！您好，大人！」也許他就是某大人，嘴裡稱贊某大人的馬好，心裡卻想把它討了來，你看是不是？

霍拉旭　是，殿下。

哈姆萊特　啊，正是；現在卻讓蛆蟲伴寢，他的下巴也脫掉了，一柄工役的鋤頭可以在他頭上敲來敲去。從這種變化上，我們大可看透了生命的無常。難道這些枯骨生前受了那麼

---

①該隱(Cain)，亞當之長子，殺其弟亞伯，事見《舊約・創世記》。

多的教養，死後卻只好給人家當木塊一般拋著玩嗎？想起來眞是怪不好受的。

小丑甲 （唱）

鋤頭一柄，鐵鏟一把，

殮衾一方掩面遮身；

挖鬆泥土深深掘下，

掘了個坑招待客人。（擲起另一骷髏。）

哈姆萊特 又是一個；誰知道那不會是一個律師的骷髏？他的玩弄刀筆的手段，顚倒黑白的雄辯，現在都到哪兒去了？爲什麼他讓這個放肆的傢伙用齷齪的鐵鏟敲他的腦殼，不去控告他一個毆打罪？哼！這傢伙生前也許曾經買下許多地產，開口閉口用那些條文，具結、罰款、雙重保證、賠償一類的名詞嚇人；現在他的腦殼裡塞滿了泥土，這就算是他所取得的罰款和最後的賠償了嗎？他的雙重保證人難道不能保他再多買點地皮，只給他留下和那種一式二份的契約同樣大小的一塊地面嗎？這個小木頭匣子，原來要裝他土地的字據都恐怕裝不下，如今地主本人卻也只能有這麼一點地盤，哈？

霍拉旭 不能比這再多一點了，殿下。

哈姆萊特 契約紙不是用羊皮作的嗎？

霍拉旭 是的，殿下，也有用牛皮作的。

哈姆萊特 我看痴心指靠那些玩意兒的人，比牲口聰明不了多少。我要去跟這傢伙談談。大哥，這是誰的墳？

小丑甲 我的，先生——

挖鬆泥土深深掘下，

掘了個坑招待客人。

哈姆萊特　我看也是你的，因爲你在裡頭胡鬧。

小丑甲　您在外頭也不老實，先生，所以這墳不是您的；至於說我，我倒沒有在裡頭胡鬧，可是這墳的確是我的。

哈姆萊特　你在裡頭，又說是你的，這就是「在裡頭胡鬧」，因爲挖墳是爲死人，不是爲會蹦會跳的活人，所以說你胡鬧。

小丑甲　這套胡鬧的話果然會蹦會跳，先生；等會兒又該從我這裡跳到您那裡去了。

哈姆萊特　你是在給什麼人挖墳？是個男人嗎？

小丑甲　不是男人，先生。

哈姆萊特　那麼是個女人？

小丑甲　也不是女人。

哈姆萊特　不是男人，也不是女人，那麼誰葬在這裡面？

小丑甲　先生，她本來是一個女人，可是上帝讓她的靈魂得到安息，她已經死了。

哈姆萊特　這混蛋倒會分辨得這樣清楚！我們講話可得字斟句酌，精心推敲，稍有含糊，就會出醜。憑著上帝發誓，霍拉旭，我覺得這三年來，人人都越變越精明，莊稼漢的腳趾頭已經挨近朝廷貴人的腳後跟，可以磨破那上面的凍瘡了。——你做這掘墓的營生，已經多久了。

小丑甲　我開始幹這營生，是在我們的老王爺哈姆萊特打敗福丁布拉斯那一天。

哈姆萊特　那是多久以前的事？

小丑甲　你不知道嗎？每一個傻子都知道的；那正是小哈姆萊特出世的那一天，就是那個發了瘋給他們送到英國去的。

哈姆萊特　嗯，對了；爲什麼他們叫他到英國去？

小丑甲　就是因爲他發了瘋呀；他到英國去，他的瘋病就會好的，即使瘋病不會好，在那邊也沒有什麼關係。

哈姆萊特　爲什麼？

小丑甲　英國人不會把他當作瘋子；他們都跟他一樣瘋。

哈姆萊特　他怎麼會發瘋？

小丑甲　人家說得很奇怪。

哈姆萊特　怎麼奇怪？

小丑甲　他們說他神經有了毛病。

哈姆萊特　從哪裡來的？

小丑甲　還不就是從丹麥本地來的？我在本地幹這掘墓的營生，從小到大，一共有三十年了。

哈姆萊特　一個人埋在地下，要經過多少時候才會腐爛？

小丑甲　假如他不是在未死以前就已經腐爛——就如現在有的是害楊梅瘡死去的屍體，簡直抬都抬不下去——他大概可以過八九年；一個硝皮匠在九年以內不會腐爛。

哈姆萊特　爲什麼他要比別人長久一些？

小丑甲　因爲，先生，他的皮硝得比人家的硬，可以長久不透水；倒楣的屍體一碰到水，是最會腐爛的。這兒又是一個骷髏；這骷髏已經埋在地下二十三年了。

哈姆萊特　它是誰的骷髏？

小丑甲　是個婊子養的瘋小子；你猜是誰？

哈姆萊特　不，我猜不出。

小丑甲　這個遭瘟的瘋小子！他有一次把一瓶葡萄酒倒在我的頭上。這一個骷髏，先生，是國王的弄人郁利克的骷髏。

哈姆萊特　這就是他！

小丑甲　正是他。

First Clown. This same skull, sir, was Yorick's skull, the king's jester.
Hamlet. This?
First Clown. E'en that.
Hamlet. Let me see. *Act V. Scene I.*

小 丑 甲：這一個骷髏，先生，是國王的弄人郁利克的骷髏。
哈姆萊特：這就是他！
小 丑 甲：正是他。

哈姆萊特　讓我看。（取骷髏）唉，可憐的郁利克！霍拉旭，我認識他；他是一個最會開玩笑、非常富於想像力的傢伙。他曾經把我負在背上一千次；現在我一想起來，卻忍不住胸頭作惡。這兒本來有兩片嘴唇，我不知吻過它們多少次。——現在你還會挖苦人嗎？你還會蹦蹦跳跳，逗人發笑嗎？你還會唱歌嗎？你還會隨口編造一些笑話，說得滿座捧腹嗎？你沒有留下一個笑話，譏笑你自己嗎？這樣垂頭喪氣了嗎？現在你給我到小姐的閨房裡去，對她說，憑她臉上的脂粉擦得一寸厚，到後來總要變成這個樣子的；你用這樣的話告訴她，看她笑不笑吧。霍拉旭，請你告訴我一件事情。

霍拉旭　什麼事情，殿下？

哈姆萊特　你想亞歷山大在地下也是這副形狀嗎？

霍拉旭　也是這樣。

哈姆萊特　也有同樣的臭味嗎？呸！（擲下骷髏。）

霍拉旭　也有同樣的臭味，殿下。

哈姆萊特　誰知道我們將來會變成一些什麼下賤的東西，霍拉旭！要是我們用想像推測下去，誰知道亞歷山大的高貴的屍體，不就是塞在酒桶口上的泥土？

霍拉旭　那未免太想入非非了。

哈姆萊特　不，一點不，我們可以不作怪論、合情合理地推想他怎樣會到那個地步；比方說吧：亞歷山大死了；亞歷山大埋葬了；亞歷山大化為塵土；人們把塵土做成爛泥；那麼為什麼亞歷山大所變成的爛泥，不會被人家拿來塞在啤酒桶的口上呢？

凱撒死了，你尊嚴的屍體

　　也許變了泥把破牆填砌；
　　啊！他從前是何等的英雄，
　　現在只好替人擋雨遮風！
可是不要作聲！不要作聲！站開；國王來了。

教士等列隊上；衆舁奧菲利婭屍體前行，雷歐提斯及諸送葬者、國王、王后及侍從等隨後。

哈姆萊特　王后和朝臣們也都來了；他們是送什麼人下葬呢？儀式又是這樣草率的？瞧上去好像他們所送葬的那個人，是自殺而死的，同時又是個很有身分的人。讓我們躲在一旁瞧瞧他們。（與霍拉旭退後。）

雷歐提斯　還有些什麼儀式？

哈姆萊特　（向霍拉旭旁白）那是雷歐提斯，一個很高貴的青年；聽著。

雷歐提斯　還有些什麼儀式？

教士甲　她的葬禮已經超過了她所應得的名分。她的死狀很是可疑；倘不是因為我們迫於權力，按例就該把她安葬在聖地以外，直到最後審判的喇叭吹召她起來。我們不但不應該替她禱告，並且還要用磚瓦碎石丟在她墳上；可是現在我們已經允許給她處女的葬禮，用花圈蓋在她的身上，替她散播鮮花，鳴鐘送她入土，這還不夠嗎？

雷歐提斯　難道不能再有其他儀式了嗎？

教士甲　不能再有其他儀式了；要是我們為她唱安魂曲，就像對於一般平安死去的靈魂一樣，那就要褻瀆了教規。

雷歐提斯　把她放下泥土裡去；願她的嬌美無瑕的肉體上，生出芬芳馥郁的紫羅蘭來！我告訴你，你這下賤的教士，我的妹妹將要做一個天使，你死了卻要在地獄裡呼號。

哈姆萊特　什麼！美麗的奧菲利婭嗎？

王后　好花是應當散在美人身上的；永別了！（散花）我本來希望你做我的哈姆萊特的妻子；這些鮮花本來要鋪在你的新床上，親愛的女郎，誰想得到我要把它們散在你的墳上！

雷歐提斯　啊！但願千百重的災禍，降臨在害得你精神錯亂的那個該死的惡人的頭上！等一等，不要就把泥土蓋上去，讓我再擁抱她一次。（跳下墓中）現在把你們的泥土倒下來，把死的和活的一起掩埋了吧；讓這塊平地上堆起一座高山，那古老的丕利恩和蒼秀插天的俄林波斯都要俯伏在它的足下。

哈姆萊特　（上前）哪一個人的心裡裝載得下這樣沉重的悲傷？哪一個人的哀慟的辭句，可以使天上的行星驚疑止步？那是我，丹麥王子哈姆萊特！（跳下墓中。）

雷歐提斯　魔鬼抓了你的靈魂去！（將哈姆萊特揪住。）

哈姆萊特　你禱告錯了。請你不要掐住我的頭頸；因為我雖然不是一個暴躁易怒的人，可是我的火性發作起來，是很危險的，你還是不要激惱我吧。放開你的手！

國王　把他們扯開！

王后　哈姆萊特！哈姆萊特！

眾人　殿下，公子——

霍拉旭　好殿下，安靜點兒。（侍從等分開二人，二人自墓中出。）

哈姆萊特　嘿，我願意為了這個題目跟他決鬥，直到我的眼皮不再眨動。

王后　啊，我的孩子！什麼題目？

哈姆萊特　我愛奧菲利婭；四萬個兄弟的愛合起來，還抵不過我對她的愛。你願意為她幹些什麼事情？

國王 啊！他是個瘋人，雷歐提斯。

王后 看在上帝的情分上，不要跟他認眞。

哈姆萊特 哼，讓我瞧瞧你會幹些什麼事。你會嗎？你會打架嗎？你會絕食嗎？你會撕破你自己的身體嗎？你會喝一大缸醋嗎？你會吃一條鱷魚嗎？我都做得到。你是到這兒來哭泣的嗎？你跳下她的墳墓裡，是要當面羞辱我嗎？你跟她活埋在一起，我也會跟她活埋在一起；要是你還要誇說什麼高山大嶺，那麼讓他們把幾百萬畝的泥土堆在我們身上，直到把我們的地面堆得高到可以被「烈火天」燒焦，讓巍峨的奧薩山在相形之下變得只像一個瘤那麼大吧！嘿，你會吹，我就不會吹嗎？

王后 這不過是他一時的瘋話。他的瘋病一發作起來，總是這個樣子的；可是等一會兒他就會安靜下來，正像母鴿孵育它那一雙金羽的雛鴿的時候一樣溫和了。

哈姆萊特 聽我說，老兄；你爲什麼這樣對待我？我一向是愛你的。可是這些都不用說了，有本領的，隨他幹什麼事吧；貓總是要叫，狗總是要鬧的。（下。）

國王 好霍拉旭，請你跟住他。（霍拉旭下。向雷歐提斯）記住我們昨天晚上所說的話，格外忍耐點兒吧；我們馬上就可以實行我們的辦法。好喬特魯德，叫幾個人好好看守你的兒子。這一個墳上要有個活生生的紀念物，平靜的時間不久就會到來；現在我們必須耐著心把一切安排。（同下。）

第二場　城堡中的廳堂

哈姆萊特及霍拉旭上。

哈姆萊特　這個題目已經講完，現在我可以讓你知道另外一段事情。你還記得當初的一切經過情形嗎？

霍拉旭　記得，殿下！

哈姆萊特　當時在我的心裡有一種戰爭，使我不能睡眠；我覺得我的處境比鎖在腳鐐裡的叛變的水手還要難堪。我就鹵莽行事。——結果倒鹵莽對了，我們應該承認，有時候一時孟浪，往往反而可以做出一些為我們的深謀密慮所做不成功的事；從這一點上，我們可以看出來，無論我們怎樣辛苦圖謀，我們的結果卻早已有一種冥冥中的力量把它佈置好了。

霍拉旭　這是無可置疑的。

哈姆萊特　我從艙裡起來，把一件航海的寬衣罩在我的身上，在黑暗之中摸索著找尋那封公文，果然給我達到目的，摸到了他們的包裹；我拿著它回到我自己的地方，疑心使我忘記了禮貌，我大膽地拆開了他們的公文，在那裡面，霍拉旭——啊，堂皇的詭計！——我發現一道嚴厲的命令，借了許多好聽的理由為名，說是為了丹麥和英國雙方的利益，決不能讓我這個險惡的人物逃脫，接到公文之後，必須不等磨好利斧，立即梟下我的首級。

霍拉旭　有這等事？

哈姆萊特　這一封就是原來的國書；你有空的時候可以仔細讀一下。可是你願意聽我告訴你後來我怎麼辦嗎？

霍拉旭　請您告訴我。

哈姆萊特　在這樣重重詭計的包圍之中，我的腦筋不等我定下決心來思索，就開始活動起來了；我坐下來另外寫了一通國書，字跡清清楚楚。從前我曾經抱著跟我們那些政治家們同樣的意見，認爲字體端正是一件有失體面的事，總是想竭力忘記這一種技能，可是現在它卻對我有了大大的用處。你知道我寫些什麼話嗎？

霍拉旭 嗯，殿下。

哈姆萊特 我用國王的名義，向英王提出懇切的要求，因爲英國是他忠心的藩屬，因爲兩國之間的友誼，必須讓它像棕櫚樹一樣發榮繁茂，因爲和平的女神必須永遠戴著她的榮冠，溝通彼此的情感，以及許許多多諸如此類的重要理由，請他在讀完這一封信以後，不要有任何的遲延，立刻把那兩個傳書的來使處死，不讓他們有從容懺悔的時間。

霍拉旭 可是國書上沒有蓋印，那怎麼辦呢？

哈姆萊特 啊，就在這件事上，也可以看出一切都是上天預先注定。我的衣袋裡恰巧藏著我父親的私印，它跟丹麥的國璽是一個式樣的；我把僞造的國書照著原來的樣子折好，簽上名字，蓋上印璽，把它小心封好，歸還原處，一點沒有露出破綻。下一天就遇見了海盜，那以後的情形，你早已知道了。

霍拉旭 這樣說來，吉爾登斯吞和羅森格蘭茲是去送死的了。

哈姆萊特 哎，朋友，他們本來是自己鑽求這件差使的；我在良心上沒有對不起他們的地方，是他們自己的阿諛獻媚斷送了他們的生命。兩個強敵猛烈爭鬥的時候，不自量力的微弱之輩，卻去揷身在他們的刀劍中間，這樣的事情是最危險不過的。

霍拉旭 想不到竟是這樣一個國王！

哈姆萊特 你想，我是不是應該——他殺死了我的父王，奸汚了我的母親，簒奪了我的嗣位的權利，用這種詭計謀害我的生命，憑良心說我是不是應該親手向他復仇雪恨？如果我不去翦除這一個戕害天性的蟊賊，讓他繼續為非作惡，豈不是該受天譴嗎？

霍拉旭　他不久就會從英國得到消息，知道這一回事情產生了怎樣的結果。

哈姆萊特　時間雖然很侷促，可是我已經抓住眼前這一刻工夫；一個人的生命可以在說一個「一」字的一剎那之間了結。可是我很後悔，好霍拉旭，不該在雷歐提斯之前失去了自制，因為他所遭遇的慘痛，正是我自己的怨憤的影子。我要取得他的好感。可是他倘不是那樣誇大他的悲哀，我也決不會動起那麼大的火性來的。

霍拉旭　不要作聲！誰來了？

奧斯里克上。

奧斯里克　殿下，歡迎您回到丹麥來！

哈姆萊特　謝謝您，先生。（向霍拉旭旁白）你認識這隻水蒼蠅嗎？

霍拉旭　（向哈姆萊特旁白）不，殿下。

哈姆萊特　（向霍拉旭旁白）那是你的運氣，因為認識他是一件丟臉的事。他有許多肥田美壤；一頭畜生要是作了一群畜生的主子，就有資格把食槽搬到國王的席上來了。他「咯咯」叫起來簡直沒個完，可是——我方才也說了——他擁有大批糞土。

奧斯里克　殿下，您要是有空的話，我奉陛下之命，要來告訴您一件事情。

哈姆萊特　先生，我願意恭聆大教。您的帽子是應該戴在頭上的，您還是戴上去吧。

奧斯里克：殿下，歡迎您回到丹麥來！
哈姆萊特：謝謝您，先生。（向霍拉旭旁白）你認識
這隻水蒼蠅嗎？

奧斯里克　謝謝殿下，天氣眞熱。

哈姆萊特　不，相信我，天冷得很，在刮北風哩。

奧斯里克　眞的有點兒冷，殿下。

哈姆萊特　可是對於像我這樣的體質，我覺得這一種天氣卻是悶熱得厲害。

奧斯里克　對了，殿下；眞是說不出來的悶熱。可是，殿下，陛下叫我來通知您一聲，他已經爲您下了一個很大的賭注了。殿下，事情是這樣的——

哈姆萊特　請您不要這麼多禮。（促奧斯里克戴上帽子。）

奧斯里克　不，殿下，我還是這樣舒服些，眞的。殿下，雷歐提斯新近到我們的宮廷裡來；相信我，他是一位完善的紳士，充滿著最卓越的特點，他的態度非常溫雅，他的儀表非常英俊；說一句發自衷心的話，他是上流社會的南針，因為在他身上可以找到一個紳士所應有的品質的總匯。

哈姆萊特　先生，他對於您這一番描寫，的確可以當之無愧；雖然我知道，要是把他的好處一件一件列舉出來，不但我們的記憶將要因此而淆亂，交不出一篇正確的賬目來，而且他這一艘滿帆的快船，也決不是我們失舵之舟所能追及；可是，憑著眞誠的讚美而言，我認為他是一個才德優異的人，他的高超的稟賦是那樣稀有而罕見，說一句眞心的話，除了在他的鏡子裡以外，再也找不到第二個跟他同樣的人，紛紛追蹤求跡之輩，不過是他的影子而已。

奧斯里克　殿下把他說得一點不錯。

哈姆萊特　您的用意呢？為什麼我們要用塵俗的呼吸，噓在這位紳士的身上呢？

奧斯里克　殿下？

霍拉旭　自己所用的語言，到了別人嘴裡，就聽不懂了嗎？早晚你會懂的，先生。

哈姆萊特　您向我提起這位紳士的名字，是什麼意思？

奧斯里克　雷歐提斯嗎？

霍拉旭　他的嘴裡已經變得空空洞洞；因為他的那些好聽話都說完了。

哈姆萊特　正是雷歐提斯。

奧斯里克　我知道您不是不明白——

哈姆萊特　您眞能知道我這人不是不明白，那倒很好；可是，說老實話，即使你知道我是明白人，對我也不是什麼光彩的事。好，您怎麼說？

奧斯里克　我是說，您不是不明白雷歐提斯有些什麼特長——

哈姆萊特　那我可不敢說，因爲也許人家會疑心我有意跟他比並高下；可是要知道一個人的底細，應該先知道他自己。

奧斯里克　殿下，我的意思是說他的武藝；人家都稱贊他的本領一時無兩。

哈姆萊特　他會使些什麼武器？

奧斯里克　長劍和短刀。

哈姆萊特　他會使這兩種武器嗎？很好。

奧斯里克　殿下，王上已經用六匹巴巴里的駿馬跟他打賭；在他的一方面，照我所知道的，押的是六柄法國的寶劍和好刀，連同一切鞘帶鉤子之類的附件，其中有三柄的掛機尤其珍奇可愛，跟劍柄配得非常合適，式樣非常精緻，花紋非常富麗。

哈姆萊特　您所說的掛機是什麼東西？

霍拉旭　我知道您要聽懂他的話，非得翻查一下註解不可。

奧斯里克　殿下，掛機就是鉤子。

哈姆萊特　要是我們腰間掛著大炮，用這個名詞倒還合適；在那一天沒有來到以前，我看還是就叫它鉤子吧。好，說下去；六匹巴巴里駿馬對六柄法國寶劍，附件在內，外加三個花紋富麗的掛機；法國產品對丹麥產品。可是，用你的話來說，這樣「押」是爲了什麼呢？

奧斯里克　殿下，王上跟他打賭，要是你們兩人交起手來，在十二個回合之中，他至多不過多贏您三著；可是他卻覺得他可以穩贏九個回合。殿下要是答應的話，馬上就可以試一試。

哈姆萊特　要是我回答個「不」字呢？

奧斯里克　殿下，我的意思是說，您答應跟他當面比較高低。

哈姆萊特　先生，我還要在這兒廳堂裡散散步。您去回陛下說，現在是我一天之中休息的時間。叫他們把比賽用的鈍劍預備好了，要是這位紳士願意，王上也不改變他的意見的話，我願意盡力為他搏取一次勝利；萬一不幸失敗，那我也不過丟了一次臉，給他多剩了兩下。

奧斯里克　我就照這樣去回話嗎？

哈姆萊特　您就照這個意思去說，隨便您再加上一些什麼新穎詞藻都行。

奧斯里克　我保證為殿下效勞。

哈姆萊特　不敢，不敢。（奧斯里克下）多虧他自己保證，別人誰也不會替他張口的。

霍拉旭　這一隻小鴨子頂著殼兒逃走了。

哈姆萊特　他在母親懷抱裡的時候，也要先把他母親的奶頭恭維幾句，然後吮吸。像他這一類靠著一些繁文縟禮撐撐場面的傢伙，正是愚妄的世人所醉心的；他們的淺薄的牙慧使傻瓜和聰明人同樣受他們的欺騙，可是一經試驗，他們的水泡就爆破了。

一貴族上。

貴族　殿下，陛下剛才囑奧斯里克來向您傳話，知道您在這兒廳上等候他的旨意；他叫我再來問您一聲，您是不是仍舊願意跟雷歐提斯比劍，還是慢慢再說。

哈姆萊特　我沒有改變我的初心，一切服從王上的旨意。現在也好，無論什麼時候都好，只要他方便，我總是隨時準備著，除非我喪失了現在所有的力氣。

貴族　王上、娘娘，跟其他的人都要到這兒來了。

哈姆萊特　他們來得正好。

貴族　娘娘請您在開始比賽以前，對雷歐提斯客氣幾句。

哈姆萊特　我願意服從她的教誨。（貴族下。）

霍拉旭　殿下，您在這一回打賭中間，多半要失敗的。

哈姆萊特　我想我不會失敗。自從他到法國去以後，這練習得很勤；我一定可以把他打敗。可是你不知道我的心裡是多麼不舒服；那也不用說了。

霍拉旭　啊，我的好殿下——

哈姆萊特　那不過是一種傻氣的心理；可是一個女人也許會因爲這種莫名其妙的疑慮而惶惑。

霍拉旭　要是您心裡不願意做一件事，那麼就不要做吧。我可以去通知他們不用到這兒來，說您現在不能比賽。

哈姆萊特　不，我們不要害怕什麼預兆；一隻雀子的死生，都是命運預先注定的。注定在今天，就不會是明天，不是明天，就是今天；逃過了今天，明天還是逃不了，隨時準備著就是了。一個人既然在離開世界的時候，只能一無所有，那麼早早脫身而去，不是更好嗎？隨它去。

國王、王后、雷歐提斯、衆貴族、奧斯里克及侍從等持鈍劍等上。

國王　來，哈姆萊特，來，讓我替你們兩人和解和解。（牽雷歐提斯、哈姆萊特二人手使相握。）

哈姆萊特　原諒我，雷歐提斯；我得罪了你，可是你是個堂堂男子，請你原諒我吧。這兒在場的衆人都知道，你也一定聽見人家說起，我是怎樣被瘋狂害苦了。凡是我的所作所爲，足以傷害你的感情和榮譽、激起你的憤怒來的，我現在聲明都是我在瘋狂中犯下的過失。難道哈姆萊特會做對不起雷歐提斯的事嗎？哈姆萊特決不會做這種事。要是哈姆萊特在喪失他自己的心神的時候，做了對不起雷歐提斯的事，那樣的事不是哈姆萊特做的，哈姆萊特不能承認。那麼是誰做的呢？是他的瘋狂。既然是這樣，那麼哈姆萊特也是屬於受害的一方，他的瘋狂是可憐的哈姆萊特的敵人。當著在座衆人之前，我承認我在無心中射出的箭，誤傷了我的兄弟；我現在要向他請求大度包涵，寬恕我的不是出於故意的罪惡。

雷歐提斯　按理講，對這件事情，我的感情應該是激動我復仇的主要力量，現在我在感情上總算滿意了；但是另外還有榮譽這一關，除非有什麼爲衆人所敬仰的長者，告訴我可以跟你捐除宿怨，指出這樣的事是有前例可援的，不至於損害我的名譽，那時我才可以跟你言歸於好。目前我且先接受你友好的表示，並且保證決不會辜負你的盛情。

哈姆萊特　我絕對信任你的誠意，願意奉陪你舉行這一次友誼的比賽。把鈍劍給我們。來。

雷歐提斯　來，給我一柄。

哈姆萊特　雷歐提斯，我的劍術荒疏已久，只能給你幫場；正像最黑暗的夜裡一顆吐耀的明星一般，彼此相形之下，一定更顯得你的本領的高強。

雷歐提斯　殿下不要取笑。

哈姆萊特　不，我可以舉手起誓，這不是取笑。

國王　奥斯里克，把鈍劍分給他們。哈姆萊特侄兒，你知道我們怎樣打賭嗎？

哈姆萊特　我知道，陛下；您把賭注下在實力較弱的一方了。

國王 我想我的判斷不會有錯。你們兩人的技術我都領教過；但是後來他又有了進步，所以才規定他必須多贏幾著。

雷歐提斯 這一柄太重了；換一柄給我。

哈姆萊特 這一柄我很滿意。這些鈍劍都是同樣長短的嗎？

奧斯里克 是，殿下。（二人準備比劍。）

國王 替我在那桌子上斟下幾杯酒。要是哈姆萊特擊中了第一劍或是第二劍，或是在第三次交鋒的時候手得上風，讓所有的碉堡上一齊鳴起炮來；國王將要飲酒慰勞哈姆萊特，他還要拿一顆比丹麥四代國王戴在王冠上的更貴重的珍珠去在酒杯裡。把杯子給我；鼓聲一起，喇叭就接著吹響，通知外面的炮手，讓炮聲震徹天地，報告這一個消息，「現在國王為哈姆萊特祝飲了！」來，開始比賽吧；你們在場裁判的都要留心看著。

哈姆萊特 請了。

雷歐提斯 請了，殿下。（二人比劍。）

哈姆萊特 一劍。

雷歐提斯 不，沒有擊中。

哈姆萊特 請裁判員公斷。

奧斯里克 中了，很明顯的一劍。

雷歐提斯 好；再來。

國王 且慢；拿酒來。哈姆萊特，這一顆珍珠是你的；祝你健康！把這一杯酒給他。（喇叭齊奏。內鳴炮。）

哈姆萊特 讓我先賽完這一局；暫時把它放在一旁。來。（二人比劍）又是一劍；你怎麼說？

雷歐提斯 我承認給你碰著了。

國王 我們的孩子一定會勝利。

王后　他身體太胖，有些喘不過氣來。來，哈姆萊特，把我的手巾拿去，揩乾你額上的汗。王后爲你飲下這一杯酒，祝你勝利，哈姆萊特。

哈姆萊特　好媽媽！

國王　喬特魯德，不要喝。

王后　我要喝的，陛下；請您原諒我。

國王　（旁白）這一杯酒裡有毒；太遲了！

哈姆萊特　母親，我現在還不敢喝酒；等一等再喝吧。

王后　來，讓我擦乾你的臉。

雷歐提斯　陛下，現在我一定要擊中他了。

國王　我怕你擊不中他。

雷歐提斯　（旁白）可是我的良心卻不贊成我幹這件事。

哈姆萊特　來，該第三個回合了，雷歐提斯。你怎麼一點不起勁？請你使出你全身的本領來吧；我怕你在開我的玩笑哩。

雷歐提斯　你這樣說嗎？來。（二人比劍。）

奧斯里克　兩邊都沒有中。

雷歐提斯　受我這一劍！（雷歐提斯挺劍刺傷哈姆萊特；二人在爭奪中彼此手中之劍各爲對方奪去，哈姆萊特以奪來之劍刺雷歐提斯，雷歐提斯亦受傷。）

國王　分開他們！他們動起火來了。

哈姆萊特　來，再試一下。（王后倒地。）

奧斯里克　噯喲，瞧王后怎麼啦！

霍拉旭　他們兩人都在流血。您怎麼啦，殿下？

奧斯里克　您怎麼啦，雷歐提斯？

雷歐提斯　唉，奧斯里克，正像一隻自投羅網的山鷸，我用詭計害人，反而害了自己，這也是我應得的報應。

哈姆萊特 王后怎麼啦？

國王 她看見他們流血，昏了過去了。

王后 不，不，那杯酒，那杯酒——啊，我的親愛的哈姆萊特！那杯酒，那杯酒：我中毒了。（死。）

哈姆萊特 啊，奸惡的陰謀！喂！把門鎖上！陰謀！查出來是哪一個人幹的。（雷歐提斯倒地。）

雷歐提斯 兇手就在這兒，哈姆萊特。哈姆萊特，你已經不能活命了；世上沒有一種藥可以救治你，不到半小時，你就要死去。那殺人的兇器就在你的手裏，它的鋒利的刃上還塗著毒藥。這奸惡的詭計已經回轉來害了我自己；瞧！我躺在這兒，再也不會站起來了。你的母親也中了毒。我說不下去了。國王——國王——都是他一個人的罪惡。

哈姆萊特 鋒利的刃上還塗著毒藥！——好，毒藥，發揮你的力量吧！（刺國王。）

眾人 反了！反了

國王 啊！幫幫我，朋友們：我不過受了點傷。

哈姆萊特 好，你這敗壞倫常、嗜殺貪淫、萬惡不赦的丹麥奸王！喝乾了這杯毒藥——你那顆珍珠是在這兒嗎？——跟我的母親一道去吧！（國王死。）

雷歐提斯 他死得應該；這毒藥是他親手調下的。尊貴的哈姆萊特，讓我們互相寬恕；我不怪你殺死我和我的父親，你也不要怪我殺死你！（死。）

哈姆萊特 願上天赦免你的錯誤！我也跟著你來了。我死了，霍拉旭。不幸的王后，別了！你們這些看見這一幕意外的慘變而戰慄失色的無言的觀眾，倘不是因為死神的拘捕不給人片刻的停留，啊！我可以告訴你們——可是隨它去吧。霍拉旭，我死了，你還活在世上；請你把我的行事的始末根由昭告世人，解除他們的疑惑。

霍拉旭　不，我雖然是個丹麥人，可是在精神上我卻更是個古代的羅馬人；這兒還留剩著一些毒藥。

哈姆萊特　你是個漢子，把那杯子給我；放手；憑著上天起誓，你必須把它給我。啊，上帝！霍拉旭，我一死之後，要是世人不明白這一切事情的眞相，我的名譽將要永遠蒙著怎樣的損傷！你倘然愛我，請你暫時犧牲一下天堂上的幸福，留在這一個冷酷的人間，替我傳述我的故事吧。（內軍隊自遠處行進及鳴炮聲）這是哪兒來的戰場上的聲音？

奧斯里克　年輕的福丁布拉斯從波蘭奏凱班師，這是他對英國來的欽使所發的禮炮。

哈姆萊特　啊！我死了，霍拉旭；猛烈的毒藥已經克服了我的精神，我不能活著聽見英國來的消息。可是我可以預言福丁布拉斯將被推戴爲王，他已經得到我這臨死之人的同意；你可以把這兒所發生的一切事實告訴他。此外僅餘沉默而已。（死。）

霍拉旭　一顆高貴的心現在碎裂了！晚安，親愛的王子，願成群的天使們用歌唱撫慰你安息！——爲什麼鼓聲越來越近了？（內軍隊行進聲。）

福丁布拉斯、英國使臣及餘人等上。

福丁布拉斯　這一場比賽在什麼地方舉行？

霍拉旭　你們要看些什麼？要是你們想知道一些驚人的慘事，那麼不用再到別處去找了。

福丁布拉斯　好一場驚心動魄的屠殺！啊，驕傲的死神！你用這

霍拉旭：一顆高貴的心現在碎裂了！晚安，親愛的
王子，願成群的天使們歌唱撫慰你安息！

樣殘忍的手腕，一下子殺死了這許多王裔貴冑，在你的永久的幽窟裡，將要有一席多麼豐美的盛筵！

使臣甲 這一個景象太慘了。我們從英國奉命來此，本來是要回覆這兒的王上，告訴他我們已經遵從他的命令，把羅森格

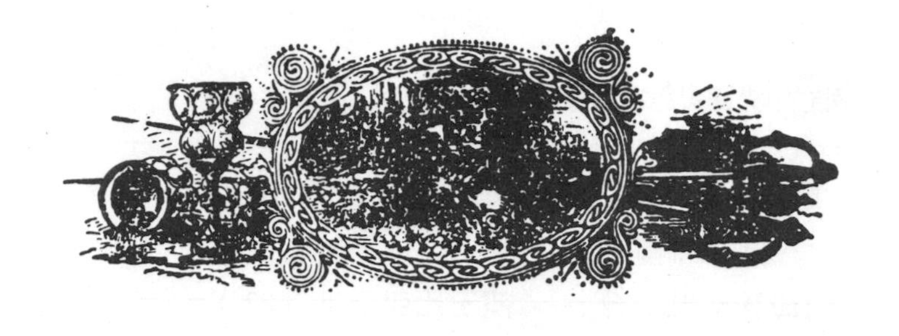

哈姆萊特

朱生豪譯

國立中央圖書館出版品預行編目資料

哈姆萊特／莎士比亞原著；朱生豪譯.--初版.--
臺北市：國家，1996〔民85〕印刷
159面；21公分.--（莎士比亞全集：32）
譯自：HAMLET
ISBN 957-36-0330-6（平裝）

873.43357　　83004274

莎士比亞全集32

哈姆萊特
HAMLET

原　　著：莎士比亞
譯　　者：朱生豪
發 行 人：王麗芬
出 版 者：國家出版社
法律顧問：林金鈴律師
郵撥帳號：〇〇一八〇二七之七號
社　　址：台北市北投區大興街9巷28號
電　　話：(02)895-1317（代表號）
傳　　眞：(02)894-2478
製 版 所：玉台製版廠
印 刷 所：美原印刷廠
1996年5月初版二刷

定價：新台幣玖拾元正

行政院新聞局局版台業字第〇六三二號
（本書如有缺頁或裝訂錯誤請寄回調換）

蘭茲和吉爾登斯吞兩人處死，不幸我們來遲了一步，那應該聽我們說話的耳朶已經沒有知覺了，我們還希望從誰的嘴裡得到一聲感謝呢？

霍拉旭　即使他能夠向你們開口說話，他也不會感謝你們；他從來不曾命令你們把他們處死。可是既然你們都來得這樣湊巧，有的剛從波蘭回來，有的剛從英國到來，恰好看見這一幕流血的慘劇，那麼請你們叫人把這幾個屍體抬起來放在高台上面，讓大家可以看見，讓我向那懵無所知的世人報告這些事情的發生經過；你們可以聽到奸淫殘殺、反常悖理的行爲、冥冥中的判決、意外的屠戮、借手殺人的狡計，以及陷人自害的結局；這一切我都可以確確實實地告訴你們。

福丁布拉斯　讓我們趕快聽你說；所有最尊貴的人，都叫他們一起來吧。我在這一個國內本來也有繼承王位的權利，現在國中無主，正是我要求這一個權利的機會；可是我雖然準備接受我的幸運，我的心裡卻充滿了悲哀。

霍拉旭　關於那一點，我受死者的囑託，也有一句話要說，他的意見是可以影響許多人的；可是在這人心惶惶的時候，讓我還是先把這一切解釋明白了，免得引起更多的不幸、陰謀和錯誤來。

福丁布拉斯　讓四個將士把哈姆萊特像一個軍人似的抬到臺上，因爲要是他能夠踐登王位，一定會成爲一個賢明的君主的；爲了表示對他的悲悼，我們要用軍樂和戰地的儀式，向他致敬。把這些屍體一起抬起來。這一種情形在戰場上是不足爲奇的，可是在宮廷之內，卻是非常的變故。去，叫兵士放起炮來。（奏喪禮進行曲；衆舁屍同下。內鳴炮。）